J'ai envie de fraises !

ou de cornichons râpés,

ou de salsifis rôtis

ou de poulet givré

...

Recettes pour

jolis ventres ronds

en pleine création

Collection *mon grain de sel*
dirigée par Raphaële Vidaling

Cette collection donne la parole à des amateurs passionnés qui ne sont ni des chefs ni des auteurs confirmés. Les livres sont réalisés sans styliste culinaire, et donc sans aucun trucage : les auteurs cuisinent eux-mêmes les plats, les photographies sont réalisées à la lumière naturelle... et ensuite, on mange tout ! Il n'y a donc aucune raison pour que ce que vous voyez là ne ressemble pas à ce que vous serez capable de faire vous-même en suivant la recette.

www.mongraindesel.fr

J'ai envie de fraises !

ou de cornichons râpés,

ou de salsifis rôtis

ou de poulet givré

...

Recettes pour

jolis ventres ronds

en pleine création

Textes : Marion Cailleret

Photographies : Isabelle Schaff

Tana

éditions

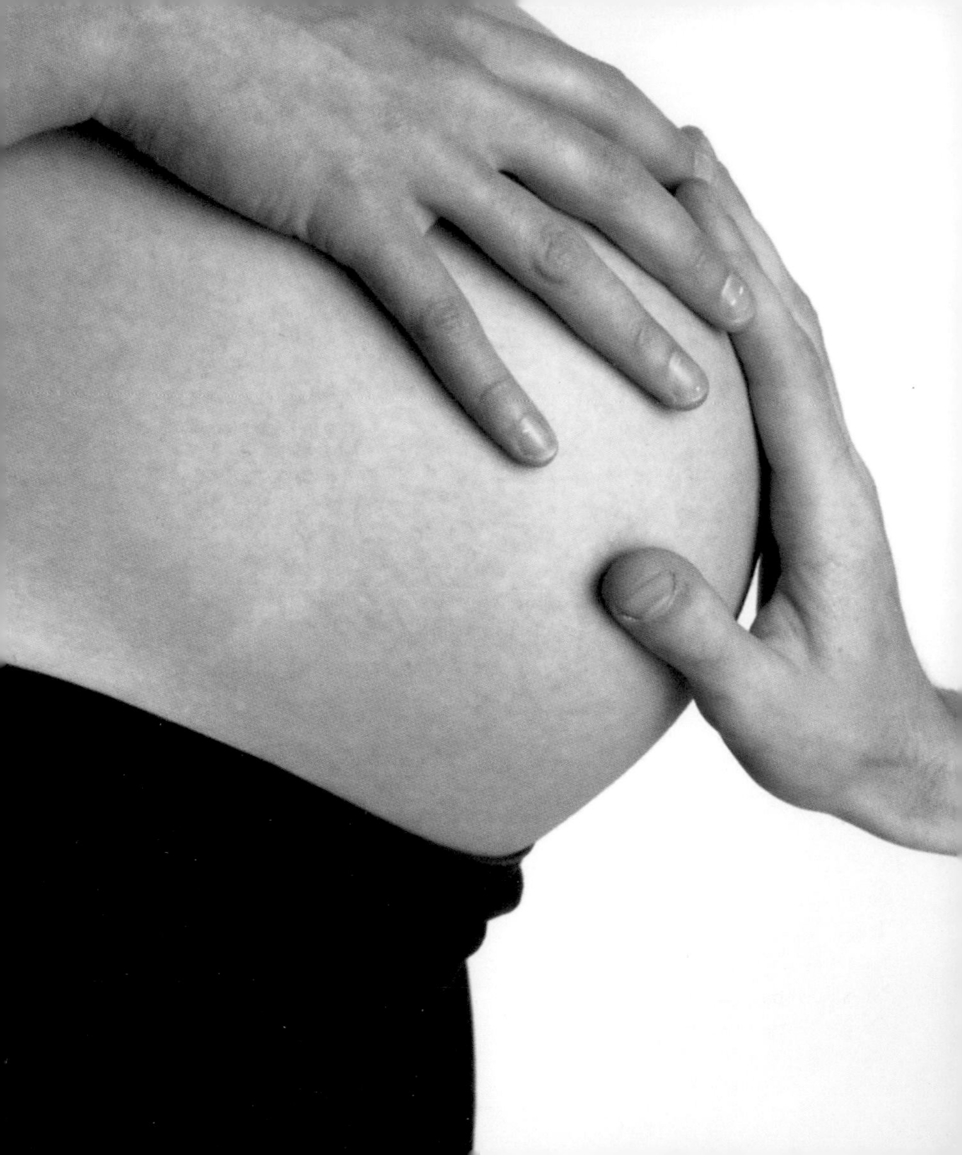

Sommaire

Introduction

Ces interdits dont on se passerait bien 10
Manger bon et bien : les aliments à privilégier 13
Les petits plus qui peuvent aider 18
À boire ! 20
Aux petits maux, les petits remèdes 22

Apéritifs

J'ai envie de... Petits délices improbables et obsédants 26
- Terrine de carottes 28
- Chips de betteraves 30
- P'tite soupe de côtes de bette 32
- Carottes au cumin 34
- Pâté rose au thym 36
- Rillettes de thon 38
- Explosions à la tapenade 40
- Anisettes 42
- Tarama de jambon 44

Entrées

J'ai envie de... (bis repetita) *Il n'y a pas que la nourriture !* 48
- Feuilles de bette farcies 50
- Tartare de tomates 52
- Foie gras... de morue 54
- Noix de saint-jacques au thé fumé 56
- Carpaccio de betterave 58

- Mille-feuille d'aubergines 60
- Salade de pois chiches 62
- Chaussons légers aux épinards 64
- Salade de cresson aux fraises 66
- Salade toute fraîche 68
- Salade d'oranges à l'oignon 70

Plats

Mon ventre, c'est... 74
- Fondue légère 76
- Potée aux épices douces 78
- Gigot des paranos 80
- Lasagnes au saumon 82
- Poulet à la moutarde 84
- Parmentier de poisson aux baies roses 86
- Gigot de lotte au lait de coco 88
- Boulettes chouettes 90
- Makis permis 92

Accompagnements

Les petits bonheurs de l'attendre 96
- Fausse poule au pot, sans poule ni pot 98
- Semoule aux fèves et aux petits pois 100
- Curry de chou 102
- Flans de légumes 104
- Courgettes au curcuma 106
- Aubergines fondantes au cumin 108
- Riz au miel et aux fruits secs 110

· Carrés de courgette 112
· Soufflés de potimarron 114

Desserts

Toutes ces choses que l'on entend 118
· Gâteau au fromage blanc et à l'ananas 120
· Mille-feuille à la rose 122
· Terrine orange-pomélo 124
· Cigares… aux fruits secs 126
· Aspic de fraises 128
· Crumble pomme-gingembre-choco 130
· Figues au yaourt 132
· Tarte fraises-rhubarbe 134

Goûters

La grossesse vue par les papas 138
· Vrai lait fraise 140
· Faux bonbons 142
· Gâteau aux fruits secs 144
· Compote mi-cuite, mi-crue 146
· Tchaï 148
· Confiture de lait à la chicorée 150
· Teurgoule 152

Le nécessaire de survie à la maternité 154
Le retour à la maison 156
L'allaitement 158
La genèse du livre 160

Introduction

Quasiment au moment même où l'on apprend avec joie (pour une fois !) que notre ventre va grossir et que l'on va prendre une bonne dizaine de kilos (dans le meilleur des cas), on se rend compte que l'on se retrouve presque au régime !

Dès la confirmation reçue lors de la première visite chez le médecin, on vous remet une liste longue comme le bras récapitulant toutes les interdictions : finis les fromages au lait cru, les carpaccios, le tarama et plein d'autres choses pourtant si délectables (pourquoi est-ce que ce sont toujours le foie gras ou le bon fromage qui sont interdits, et jamais les brocolis ?). Il faut vite devenir une véritable technicienne de la nourriture, attentive à ce que l'on achète, à ce que l'on commande au restaurant, à ce qui est servi, etc. Un vrai sacerdoce !

D'abord, il y a la liste des aliments à proscrire et ceux qu'il faut privilégier. C'est déjà beaucoup, mais il faut aussi faire attention au sucre et aux matières grasses, car, vous l'aurez compris, plus vous prenez de kilos pendant la grossesse, plus vous en gardez au bout du compte ! Le bébé, au final, ne pèsera que 3 ou 4 kilos en moyenne ; et, même en enlevant le poids du liquide amniotique, de la rétention d'eau, des quelques réserves pour l'allaitement, vous arrivez au mieux à 6 ou 7 kilos. Le reste, c'est cadeau sur les fesses et les hanches ! Et, bien sûr, ce sont des kilos aussi difficiles à perdre que ceux de n'importe quelle période d'excès.

La grossesse est donc une contradiction qui se situe au niveau du ventre : vous allez grossir, mais avec une liste de restrictions qui ferait pâlir n'importe quel mannequin anorexique ! Double contradiction même, car si tout votre bonheur est bien situé là, au creux de votre ventre, et si vous passez un temps incroyable à vous caresser le nombril et à regarder les ondulations de votre peau, la plupart de vos petits maux vont venir du même endroit : entre les nausées, la constipation, les aigreurs d'estomac et les ballonnements, votre ventre sera votre éternelle préoccupation pendant toute la grossesse.

Vu comme ça, neuf mois paraissent une éternité, une calamité culinaire, une catastrophe gustative, un désastre nutritif où la nuit, entre deux insomnies, vous en venez à rêver de sushis géants ou de pâté de campagne volant…

Et pourtant, il existe des astuces qui peuvent atténuer les petits tracas, des choses simples qui vous aideront à vivre encore mieux cette période… Pour ne garder que les petits mots de ventre, surtout les plus doux, ceux que l'on peut chuchoter et oublier tous les vilains maux !

Après avoir moi-même expérimenté trois grossesses, je peux vous l'affirmer, se nourrir en étant enceinte peut être un réel plaisir, sans aucune frustration. Il faut juste un peu d'adaptation et de triche, et on s'en sort très bien. Tellement bien que cet équilibre alimentaire tout à fait délicieux, je l'ai conservé, même quand je n'ai plus été enceinte, et puis le papa s'y est mis. C'est dire ! Cela dit, il est vrai que je suis quand même bien contente de pouvoir manger de nouveau du fromage au lait cru…

Ces interdits dont on se passerait bien

Si vous aviez su qu'il faudrait renoncer à tant d'aliments pendant la grossesse, vous auriez signé quand même ? Oui, évidemment ! Et, pour le bien du bébé, vous seriez prête à tout, pas vrai ? Alors autant tout faire pour éviter listériose, toxoplasmose ou tout autre souci qui pourrait affecter le petit bout qui fait la nouba dans votre ventre !

Sus à la listériose !

La listériose est une maladie due à une bactérie que l'on trouve dans certains aliments. Elle est dangereuse pour la maman et pour le fœtus, car elle peut provoquer des avortements spontanés ou être source de septicémie, d'encéphalite et de méningite. Il n'existe aucun vaccin, toutes les futures mamans sont donc concernées et doivent prendre certaines mesures.

Tout au long de la grossesse, il faudra donc :

- Éviter les poissons fumés ou crus, les graines germées, la charcuterie (pâtés, rillettes, foie gras, produits en gelée…), les fromages au lait cru, les coquillages crus, les crustacés, le tarama, les œufs crus.
- Consommer la viande bien cuite et les plats cuisinés soigneusement réchauffés.
- Ne pas manger la croûte des fromages (il y a pire, comme interdit, non ?).
- Séparer les aliments cuits et crus dans le réfrigérateur. Nettoyer celui-ci une fois par mois et le désinfecter à l'eau de Javel. Respecter la chaîne du froid et vérifier que la température du réfrigérateur est bien de 4 °C.
- Choisir de préférence des aliments préemballés plutôt qu'à la coupe, et, dans tous les cas, les consommer rapidement après l'achat.

À bas la toxoplasmose !

La toxoplasmose est une maladie parasitaire qui infecte les animaux à sang chaud. Certaines femmes sont immunisées, d'autres non… Dans ce cas, il faut suivre quelques consignes pour éviter tous les risques.

* Comme pour la listériose, servir la viande bien cuite.
* Laver très soigneusement les fruits et les légumes. Pour plus de précautions, faire blanchir tous ceux qu'on ne peut pas éplucher et qui sont en contact avec la terre (les déjections animales sont un fort vecteur de la maladie, raison pour laquelle vous ne devez pas non plus vous occuper de la litière du chat).

Non à tous les soucis !

On oublie, ou on limite pendant neuf mois :

* Le sucre et les matières grasses : il en faut, mais sans excès, car la grossesse n'est pas un prétexte pour se

* Ce document iconographique est extrait d'un journal de 1957 : les interdits alimentaires pour les femmes enceintes étaient alors différents d'aujourd'hui.

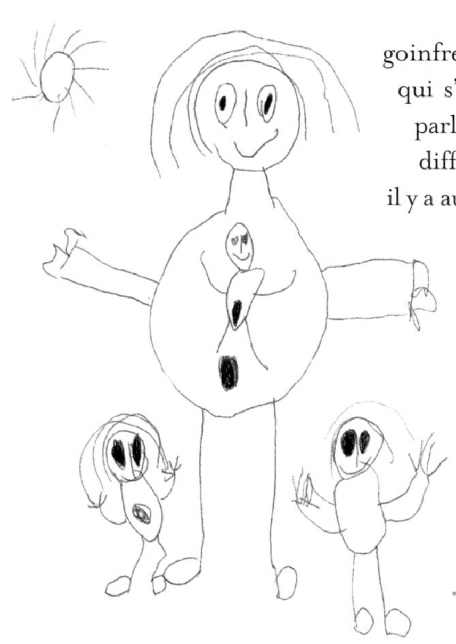

goinfrer et manger n'importe comment. Les kilos qui s'accumulent sont difficiles à perdre. Sans parler des complications possibles : il est plus difficile d'accoucher si l'on a beaucoup grossi, il y a aussi la probabilité de développer un diabète de grossesse. On se fait donc plaisir avec modération. En cas de fringale, on essaie de consommer des aliments sans conséquences : fruits, légumes à croquer, pain complet sans beurre, yaourt nature.

- L'alcool (même pas un tout petit peu, pendant la grossesse, c'est zéro alcool, car il peut provoquer des malformations et des retards mentaux chez le bébé).
- Le café, le thé (ces excitants accentuent les risques de fausses couches, et le thé freine l'absorption du fer).
- Les poissons suivants : marlin, espadon, siki (à cause de leur forte teneur en mercure, qui peut provoquer des problèmes neurologiques graves pour le fœtus).
- Le soja et les produits à base de soja (par principe de précaution, car des études indiqueraient que leur consommation peut avoir des répercussions sur la croissance du bébé).
- Les margarines ou yaourts contre le cholestérol enrichis en phytostérols (ils font baisser le taux de bêta-carotène dans le sang).
- L'aspartame : selon certaines études, il pourrait être nocif consommé en grandes quantités. Dans le doute, il vaut mieux manger du vrai sucre, mais en restsant raisonnable !

Manger bon et bien : les aliments à privilégier

Vous voulez manger le mieux possible pour apporter à Bébé tout ce dont il a besoin ? Suivez le guide !

· D'une manière générale, il faut privilégier les légumes et les fruits (bien lavés), car ils apportent vitamines, minéraux, fibres, mais aussi calcium (eh oui, il n'y en a pas que dans le lait !), et ils procurent une sensation de satiété.
· Les féculents sont source d'énergie. Il faut en manger à tous les repas et, autant que possible, penser « complet » pour le pain, le riz, les pâtes.
· Les protéines animales (viande, œufs, poisson) peuvent figurer au menu une ou deux fois par jour. Il vaut mieux éviter de manger de la viande et du fromage au cours d'un même repas. Il est préférable de réserver la viande ou le poisson au déjeuner de midi, et le fromage pour le soir.
· Les produits laitiers, source essentielle de calcium, doivent être privilégiés : fromage blanc, lait, yaourt une ou deux fois par jour.
· Il ne faut pas négliger les corps gras, mais ne pas en abuser !

Bon pour la maman et pour le bébé

· La vitamine B9 (acide folique) permet d'éviter certaines malformations du tube neural du bébé (spina-bifida). On la trouve essentiellement

dans les légumes à feuilles vertes (épinards, cresson, mâche), mais aussi dans la chicorée, les endives, les noix, les châtaignes, les pois chiches, ou encore les poireaux, les artichauts... Il est possible que le gynécologue vous propose un complément sous forme de médicaments, à partir du moment où vous essaierez d'avoir un bébé.

• La vitamine D aide le calcium à se fixer (ce qui est important pour les os du bébé). On la trouve essentiellement dans les poissons gras tels que sardines, saumon, thon (elle est également présente dans les poissons en boîte). Un apport de vitamine D deux fois par semaine semble être l'idéal.

· Le fer permet de lutter contre l'anémie. On le trouve dans les viandes, les poissons, mais aussi dans les légumes secs (lentilles, pois chiches, petits pois, haricots secs), mais il semblerait que le fer des légumineuses se fixe moins bien que le fer des protéines animales.

· La vitamine C permet surtout au fer d'être mieux assimilé par l'organisme. On pense bien sûr aux agrumes (orange, pamplemousse, citron), mais le persil en est aussi une très bonne source.

· L'iode est nécessaire au bon fonctionnement de la glande thyroïde, mais aussi à celui du cerveau du bébé. On mise sur les poissons de mer tels que cabillaud, maquereau, hareng, sardine, roussette, mais aussi sur le lait, les yaourts et les œufs.

On mange sain

Parce que ce petit est vraiment tout petit, que l'on veut le faire pousser dans les meilleures conditions, mais aussi parce que souvent la grossesse est l'occasion de faire attention à soi et de se chouchouter, nous mangeons souvent mieux quand nous sommes enceinte. Et nous avons raison !
Tout d'abord, dans la mesure du possible, il est préférable de manger bio. On sait que certains pesticides passent la barrière placentaire, car ces substances ont déjà été retrouvées dans le sang des nouveau-nés. Sans être totalement paranoïaque, cela fait tout de même peur de savoir que ce petit, que l'on imagine vierge de toute pollution, est déjà soumis à des substances chimiques dont on ignore les effets à

long terme ! Il vaut donc mieux se tourner vers des produits naturels et non traités. Il y a souvent sur les marchés des producteurs locaux qui limitent au minimum l'usage de pesticides et qui ne sont pas forcément plus chers que les autres. Il faut aussi respecter les saisons des fruits et des légumes : c'est le meilleur moyen pour payer beaucoup moins cher, et c'est bien meilleur, plus sain (généralement, les fruits et les légumes que l'on trouve hors saison viennent de loin, ils sont bourrés de substances chimiques qui permettent de leur faire supporter le voyage).

On mange simple et naturel

Quand j'étais enceinte, mes envies me poussaient plutôt vers les aliments simples. Je préférais manger des pâtes avec une tomate bien mûre, agrémentées d'un filet d'huile d'olive et de quelques feuilles de basilic, et, à l'occasion, un blanc de poulet fermier grillé, plutôt que de me contenter d'un plat sous vide, même s'il était censé avoir été conçu par un grand chef. Car, quand je retournais l'emballage pour lire la liste des ingrédients, j'étais parfois un peu dégoûtée. La plupart des plats sous vide contiennent trop de sel, et ce n'est pas tout... Il y a aussi les agents de texture, les conservateurs, les rehausseurs de goût, les colorants, qui portent tous des noms tellement techniques que l'on se dit que s'il s'agissait de dérivés pétrochimiques, ça ne serait pas tellement surprenant ! Faire cuire des pâtes avec une tomate n'est vraiment pas un exploit, ce n'est pas long, et on évite ainsi la corvée de nettoyage du micro-ondes suite à l'explosion de la barquette d'un plat sous vide. Bon, je sais bien que ce dernier argument est contestable, parce qu'il faut bien laver la casserole et la passoire des pâtes, idem pour la poêle du poulet, mais j'avoue que je déteste nettoyer le four à micro-ondes...

Prendre la peine de cuisiner, même des choses simples, c'est gratifiant. Avec un peu d'organisation, ce n'est ni long ni difficile ! Les recettes qui vous sont proposées ici sont faciles à réaliser en peu de temps, ce qui vous laisse le loisir de vous occuper un peu de vous.

Les yaourts n'échappent pas à la règle du « simple et naturel ». À la maison, tout le monde s'est mis aux yaourts nature que chacun aromatise à sa guise : du miel pour Cerise, du coulis pour Madelon, des fruits frais avec des amandes pour moi, du sucre pour Papa. Et puis, rien n'empêche de concurrencer avec bonheur les yaourt goût crumble : il suffit d'ajouter de la confiture et des miettes de biscuit. C'est ludique, inventif et vraiment, vraiment moins cher qu'un yaourt au crumble tout prêt.

Enfin, rien ne vaut le vrai beurre et le vrai sucre. Certes, il faut en mettre moins, mais c'est une question d'habitude, et puis, on ne leurre pas son organisme avec des ingrédients douteux !

Les petits plus qui peuvent aider

Quand vous attendez un bébé, il faut bien manger, c'est essentiel pour vous et pour lui. Facile à dire, car il faut jongler au quotidien entre les aliments interdits et les petits maux... Heureusement, certaines choses très simples vous aideront à aller dans le bon sens. Des ingrédients qui font appel à la créativité peuvent vous permettre de pallier certains interdits avec gourmandise et sans conséquences pour votre ligne ni pour la santé du petit !

Les herbes aromatiques (vous pouvez d'ailleurs en profiter pour faire un potager miniature, même en intérieur. Mais n'oubliez pas de les laver et de les essuyer avec grand soin.)

- La ciboulette : à mélanger avec du fromage frais, à mettre dans les salades, les omelettes.
- Le thym frais : divin sur des tomates coupées en deux, avec un petit peu d'ail, de mie de pain, d'huile d'olive, le tout passé au four pour une vingtaine de minutes.
- Le basilic : avec des tomates bien mûres, en pesto et même avec des fraises.
- Le persil : plein de vitamine C ; avec des crudités, avec de l'ail sur les haricots verts.
- La menthe : connue pour ses vertus digestives ; dans le taboulé, en infusion.
- La pimprenelle : juste pour le nom, mais aussi pour son arôme de concombre ; dans les salades, avec du yaourt pour une sauce à trempettes !
- L'estragon : dans les papillotes de poisson, ou avec du poulet.
- La coriandre : dans les salades, avec des tomates.

Et puis toutes les autres : ciboule, marjolaine, fenouil, sauge, verveine citron...

Les épices (dans tous les cas, faites confiance à votre nez et à votre inspiration).
• Le curry : avec de la viande, du poisson, des légumes, un yaourt, etc. Dans les magasins bio, on en trouve différents mélanges plus ou moins épicés.
• Le cumin : avec tous les plats salés.
• Le paprika : doux ou fort, avec un méli-mélo de légumes à l'étouffée.
• La noix muscade : dans la purée, la béchamel.
• La cannelle : sur des pommes au four, dans les yaourts.
• La cardamome : à essayer dans une fondue de poireaux, en très petite quantité.

Pensez aux sels aromatisés, qui permettent de moins saler tout en relevant les plats.

Les condiments (pour égayer le quotidien, la variété, il n'y a que ça de vrai !)
• La moutarde : il en existe de surprenantes, à la myrtille, par exemple.
• Le vinaigre : il n'y a pas que le balsamique ! On en trouve de toutes sortes, plus ou moins acides ou sucrées, aux fruits…
• Les huiles : noix, noisette, sésame, olive, bien sûr, colza, argan (ah ! l'huile d'argan). Il paraît que changer d'huile régulièrement, c'est bon pour la santé.

Noublions pas le matériel, qui simplifie tant la vie…
• Un cuit-vapeur, un autocuiseur : parce que les légumes cuits à l'eau perdent une bonne partie de leurs nutriments.
• Un mixeur : parce que cela permet de transformer n'importe quel légume en crème ; et quand on est réfractaire aux légumes et aux fruits, c'est idéal.
• Une mandoline : elle permet de faire des rondelles très fines et de transformer tous les légumes en carpaccio.
• Un moule en silicone et une poêle antiadhésive : pour éviter de rajouter des matières grasses.

À boire !

Adieu petit verre de Martini siroté à l'apéritif, au revoir tasse de café, compagne de chaque instant, *vade retro* **bol de thé de 17 heures... Vu comme cela, la grossesse ressemble à un vrai désert dont tous les petits plaisirs liquides sont exclus. Faux, archifaux ! Il y a des dizaines de solutions pour se faire plaisir un verre à la main !**

· Les jus d'agrumes : ils sont faciles à faire soi-même en pressant des oranges, des citrons (à diluer dans de l'eau), des clémentines... on peut aussi faire des mélanges ! Le mieux est de conserver la pulpe, car elle contient beaucoup de fibres.

· Les jus d'autres fruits : soit on les prépare soi-même avec une centrifugeuse, soit on les achète tout faits. Dans ce cas, il faut être vigilante : on les choisit 100 % pur jus sans conservateurs, sans sucre ajouté et sans colorant... On peut opter pour les jus classiques (pomme, raisin...) ou se laisser tenter par des jus plus originaux (canneberge, airelle...)

· Les nectars (abricot, banane, goyave...) : ils sont plus sucrés et plus sirupeux que les jus, mais rien n'empêche de les couper avec de l'eau.

· Les smoothies sont à la mode, profitez-en ! Ce sont des fruits et des jus de fruits mixés ensemble. Il y a l'embarras du choix côté goûts.

· Les jus de légumes : pour sortir un peu du sucré ; dans les magasins bio ou au rayon frais de certains supermarchés, vous trouverez des jus plus originaux que les sempiternels jus de tomate ou de carotte (betterave rouge, citrouille, cocktail de légumes...)

· Les sirops : à utiliser avec parcimonie car ils sont très sucrés. On en trouve de toute sorte ; aux fruits, bien sûr, mais aussi à base d'épices, de fleurs, avec des goûts de bonbons... Sur Internet, on trouve plusieurs sites de vente en ligne, par exemple : www.sirop-t.com, www.moninshopping...

· Les jus concentrés à diluer (comme le Pulco), peuvent aussi être intéressants. Pour changer, on les boit avec de l'eau pétillante.

· Les tisanes, à consommer chaudes ou froides (elles ont de plus l'avantage de pouvoir soigner certains petits maux : la camomille pour les insomnies, la menthe pour les digestions paresseuses). Rendez-vous chez un herboriste, un magasin bio ou encore en pharmacie. On peut aussi jeter son dévolu sur des décoctions à base d'épices ou de pétales de fleurs (non traités).

· Les milk-shakes (on mixe de la glace avec du lait) : attention, c'est bon, mais c'est souvent gras et sucré... à consommer avec modération !

· Les lassis : spécialités indiennes, sucrées ou salées ; il s'agit de yaourt battu avec de l'eau auxquels on ajoute des épices, des herbes aromatiques ou des fleurs.

· Enfin, votre meilleure alliée restera toujours l'eau : vos papilles sont en émoi, profitez-en pour essayer différentes eaux minérales ou de source, vous deviendrez vite une grande connaisseuse ! Si l'odeur de l'eau du robinet vous incommode, remplissez une bouteille en verre que vous placerez au frais, l'odeur s'en ira.

Aux petits maux, les petits remèdes

La grossesse est bien souvent accompagnée d'un cortège de petits maux, qui peuvent se révéler parfois très handicapants. Certaines mesures peuvent vous aider à les soulager. Attention, il s'agit ici d'aides simples, et il ne faut en aucun cas confondre aliments et médicaments. Si les symptômes sont trop gênants et persistent, n'hésitez pas à en parler à votre médecin.

Contre les nausées

Bonne nouvelle, dans la plupart des cas, les nausées disparaissent comme par enchantement dès le troisième mois. En attendant, vous pouvez essayer les petits trucs suivants.

- Faites plusieurs petits repas répartis tout au long de la journée.
- Mangez lentement.
- Prenez votre petit déjeuner au lit. Bon, évidemment, il s'agit là d'une libre adaptation du fait de manger une tranche de pain avant de se lever. Le petit déjeuner au lit, c'est quand même mieux : c'est bon non seulement contre les nausées, mais aussi pour le moral. Double bénéfice ! Bien sûr, ça n'est efficace que si on vous apporte le plateau, l'idée étant d'éviter de se lever l'estomac vide...

· Privilégiez les aliments riches en hydrates de carbone : banane, pain, muesli, céréales complètes, riz, pâtes…
· Les yaourts peuvent aussi faire leur effet, et si ça ne fonctionne pas, ce sera toujours une ration de calcium pour l'organisme.
· Essayez les boissons à la menthe, au citron ou au gingembre.
· Oubliez pendant un temps les fritures, le gras, les épices, l'ail.

Contre les paresses digestives

· Privilégiez une eau minérale riche en magnésium.
· Consommez des aliments riches en fibres : prunes, pruneaux, raisins, poires, légumes verts, pain, pâtes et riz complets.
· Prenez un verre d'eau fraîche à jeun le matin, et du jus d'orange ou de raisin pour le petit déjeuner.
· Faites du sport ! Je sais, ça ne fait pas partie du régime alimentaire, mais il n'y a rien de mieux que l'exercice physique modéré (30 minutes de marche par jour, par exemple) pour activer les intestins.

Contre les aigreurs d'estomac et les ballonnements

· Évitez les aliments trop riches, en sauce, acides, ou qui fermentent, comme le chou, les légumes secs, les asperges ou les fritures.
· Régalez-vous de grillades, de légumes verts cuits à la vapeur avec un assaisonnement simple, de fruits.

Et puis, soyez rassurée : jamais aucune future maman n'aura tous ces symptômes, en tout cas pas tous en même temps. Je connais même quelques veinardes qui n'ont eu ni nausées, ni aigreurs d'estomac, ni paresses digestives, rien ! Elles étaient même immunisées contre la toxoplasmose ! Que cela ne les empêche pas de se délecter des petites recettes de ce livre…

Apéritifs

J'ai envie de…

Petits délices improbables et obsédants

« Du poulet
rôti, jusqu'à en rêver
tout la nuit. »
Juliette,
une maman poule

« Des kebabs
au poulet, et par deux
s'il vous plaît ! Ce n'est
ni diététique ni réellement
bon, mais c'est ce dont
j'avais envie ! »
**Delphine, une maman
clairvoyante**

**« Des cornichons,
du vinaigre, du citron
ou du pamplemousse :
n'importe quoi du moment
que ça pique. »**
Samira, une maman
pic et pic
et colegram

« Des craies ! »
**Bénédicte,
une maman
institutrice**

« Les bonbons
de mon enfance,
gélatinés, avec plein
de cochonneries dedans ! »
**Céline, une maman
qui a gardé une âme
d'enfant**

« Des huîtres
alors que c'est interdit et
que, en plus, d'habitude
j'ai horreur de ça ! »
Marie, une maman
qui n'a pas peur
des contradictions

« Du chocolat,
au lait, aux noisettes,
noir, blanc, absolument
tous les chocolats ! »
Miriam, une maman
en manque
de magnésium

« Le minestrone
de ma maman. »
Andréa, une maman
qui a le sens
de la famille

« Des amandes
grillées au feu de bois,
des kilos d'amandes. »
Sophie, une maman
contractuelle

« Du pain gris
du boulanger qui
habite à 20 kilomètres. »
Fanny, une maman
qui a le sens
du déplacement

Terrine de carottes

Les carottes ont tout plein de vertus, c'est bien connu. Elles rendent aimable, elles donnent un joli teint, une belle voix, une bonne vue et même des fesses bien roses (ce qui ravit toujours les futurs papas). En plus, elles prodiguent leurs bienfaits tout au long de l'année. Dans cette recette, elles ont un petit goût sucré et s'accordent donc à merveille avec la purée de noix de cajou. Cette terrine tout en douceur est découpée en cubes pour l'apéro, mais vous pouvez aussi la savourer en entrée avec une salade de mâche ou de pousses d'épinard.

Pour 6 personnes

- 1 kg de carottes
- 3 œufs
- 2 c. à s. de purée de noix de cajou
- 1 c. à c. de cumin en poudre
- 20 g de beurre
- sel et poivre

Préchauffer le four à 210 °C. Laver soigneusement les carottes, les éplucher, les couper en rondelles et les faire cuire, à la vapeur si possible. En mixer les deux tiers et les mettre dans un saladier. Battre les œufs en omelette, les incorporer aux carottes. Verser la purée de noix de cajou, ajouter les rondelles de carotte réservées et le cumin, saler et poivrer. Mélanger délicatement. Beurrer un moule à cake. Faire cuire au four pendant 40 min environ, jusqu'à ce que le dessus soit doré. Vérifier la cuisson en piquant la pointe d'un couteau dans la terrine : elle est cuite si la lame ressort sèche.

N. B.

On trouve la purée de noix de cajou dans les épiceries bio.
Elle peut remplacer la crème fraîche dans certaines recettes (à noter qu'elle apporte tous les bienfaits des fruits secs). On peut également la tartiner sur du pain, mais attention, c'est très gras.

Chips de betteraves

Les chips, ça rime avec apéro rapido, avec grignotage, mais aussi avec sel… Et surtout avec gras ! Horreur et damnation ! Pour faire cesser cette tyrannie du gras à l'apéro, voici des chips de légumes jolies et superlégères ! Elles sont aussi croustillantes que les « vraies » chips et elles ont l'avantage de ne pas être frites dans l'huile, mais séchées au four. Toute la difficulté de la recette consiste à bien doser la cuisson. À vrai dire, il faut la surveiller très attentivement, parce que tout dépend de l'épaisseur des rondelles et de la puissance de votre four. C'est assez subtil, car le moment qui correspond à la cuisson des chips est parfois proche de celui de la carbonisation (ça se joue à quelques minutes). Les chips sont cuites quand elles commencent à onduler, à se décolorer, à se ratatiner, mais surtout pas à brunir. Si elles brunissent, elles sont trop cuites ! Il faut cependant savoir qu'elles ne vont vraiment devenir croustillantes que quelques secondes après leur sortie du four.

Pour 1 bol de chips

- 4 petites betteraves crues
- quelques gouttes d'huile d'olive
- sel

Préchauffer le four à 210 °C. Éplucher et laver les betteraves. Les couper en très fines lamelles, si possible à la mandoline. Huiler très légèrement une plaque de cuisson et y disposer les lamelles de betterave, sans qu'elles se chevauchent. Faire cuire pendant 5 min. Retourner les rondelles et remettre au four pour 5 min environ, en surveillant bien la cuisson.

Astuce

On peut aussi saupoudrer les lamelles de betterave d'un peu de cumin ou de curry.

P'tite soupe de côtes de bette

Pauvres bettes ! trop souvent boudées, voire bannies. Et pourtant, si on y regarde d'un peu plus près, elles n'ont que des qualités : pas chères, disponibles toute l'année, faciles à préparer et surtout très, très bonnes. En plus, elles apportent plein de calcium, de potassium et de fibres. Un must pendant la grossesse. On peut les cuisiner à la vapeur avec des herbes, en gratin, en salade, ou encore en soupe. Celle-ci, à nulle autre pareille, est onctueuse à souhait et réconfortante, idéale pour les apéros dînatoires en hiver. Et que fait-on des feuilles ? Soit on les prépare comme des épinards, soit on tente les feuilles de bette farcies (voir p. 50). Pas bette, non ?

Pour 4 personnes

- 1 botte de bettes
- 75 cl de lait d'avoine
- 50 g de flocons d'avoine
- 1 pincée de noix muscade
- 50 g de gruyère râpé
- sel et poivre

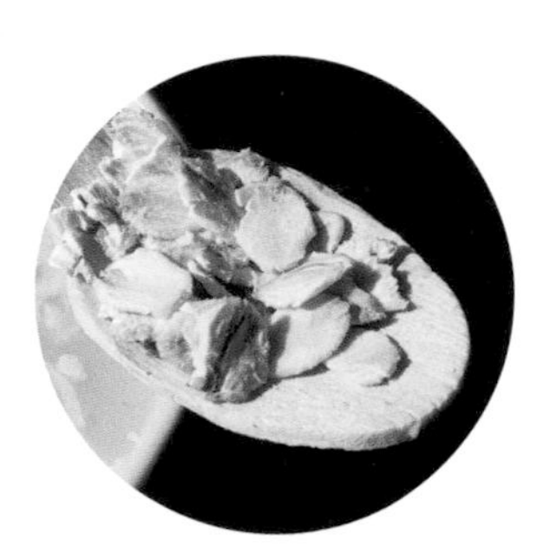

Retirer les feuilles ainsi que la base des côtes des bettes, laver les côtes. Couper les parties blanches en petits tronçons. Mettre les bettes, le lait d'avoine et les flocons dans une casserole. Faire chauffer à feu doux pendant 25 min. Surveiller la cuisson et remuer régulièrement avec une cuillère en bois pour que la soupe n'attache pas. Quand les côtes sont tendres, mixer la préparation. Ajouter la noix muscade, saler et poivrer. Servir bien chaud et présenter le gruyère à part.

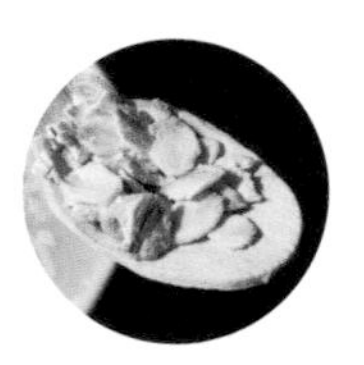

Carottes au cumin

Inspirées directement de la recette proposée dans les restaurants marocains, ces carottes sont des petites douceurs qui fondent dans la bouche comme des bonbons ! C'est grâce à la marinade dans laquelle elles ont eu le temps de se gorger de cumin, d'ail (juste un peu), de citron et... il faut bien le dire, d'huile d'olive. Mais après tout, même si on doit faire attention pendant la grossesse, on n'est pas au régime ! L'huile d'olive a tant de vertus ! Et puis, il ne faut pas contrarier les envies d'une femme enceinte, voilà !

Pour 4 personnes

- 4 belles carottes
- 4 c. à s. d'huile d'olive vierge extra
- le jus de 1 citron
- 1 gousse d'ail
- 1 c. à c. de cumin en poudre

Laver soigneusement les carottes, les éplucher, les couper en grosses rondelles (au moins 1 cm d'épaisseur) et les faire cuire à la vapeur (c'est mieux qu'à l'eau pour conserver les vitamines). Les laisser refroidir, puis les mettre dans un récipient fermant hermétiquement. Peler la gousse d'ail, puis l'émincer finement. Ajouter l'huile d'olive, le jus de citron, le cumin et l'ail dans le récipient, mélanger délicatement. Réserver au frais pendant au moins 1 h, le temps que les carottes absorbent en partie la marinade.

papa
maman

Pâté rose au thym

La vilaine listériose se glisse dans certains aliments, dont les pâtés et autres viandes en gelée. Principe de précaution oblige, il faut faire une croix dessus pendant neuf mois, histoire de ne pas prendre de risques pour le petit bout qui prend ses aises dans votre ventre. En théorie, c'est simple, en pratique, la tentation est grande. Pour ne pas y succomber, il suffit d'un peu d'astuce (et de beaucoup d'autopersuasion, c'est vrai) en réalisant un pâté tout à fait autorisé (et pas mauvais du tout). Celui-ci est inspiré des dahls indiens, dans une version bien de chez nous, dans laquelle les épices laissent la place au thym. Vous pouvez le déguster sur des toasts, mais aussi en accompagnement d'un plat de riz. Chaud ou froid ? Tout dépendra de vos envies du moment… et de celles du bébé.

Pour 1 petite terrine

- 250 g de lentilles corail
- 1 tomate
- 1 pomme de terre (100 g environ)
- 1 oignon
- 3 branchettes de thym
- 1 c. à c. d'huile d'olive
- sel et poivre

Éplucher l'oignon et le couper assez finement. Laver la tomate, enlever le pédoncule et la couper en petits morceaux. Chauffer l'huile dans une casserole, ajouter l'oignon et la tomate, puis laisser compoter pendant quelques minutes. Rincer les lentilles à l'eau claire et les mettre dans la casserole, avec la pomme de terre lavée, épluchée et coupée en petits morceaux et le thym effeuillé. Saler et poivrer. Couvrir d'eau et faire cuire pendant 25 min environ. Ajouter régulièrement de l'eau et remuer pour que le fond n'attache pas. Le pâté est cuit quand les lentilles se sont transformées en une jolie purée rose orangé.
Réserver au frais jusqu'au moment de servir.

Rillettes de thon

Ah ! les bonnes rillettes de grand-mère, moelleuses à souhait. Celles qu'on étalait généreusement sur une tartine de pain pour s'en régaler en croquant un petit cornichon entre deux bouchées. Ah ! ces fabuleuses rillettes... Eh bien, c'est terminé ! Elles sont prohibées, défendues, classées au rayon des grands dangers (listériose oblige) ! On peut garder le pain et le cornichon, mais, pour retrouver ces sensations tant chéries, il va falloir ruser et adapter la recette. Je vous donne la mienne ? Ces rillettes-là sont non seulement prêtes en deux minutes, moellcuses et délicieuses, mais, en plus, elles ne sont pas grasses du tout et apportent plein de bonnes choses. Vous voyez une raison de vous en priver ? Et de toute façon, vous retrouverez les rillettes de Mémé après la naissance du bébé, c'est promis (et je suis prête à parier que vous garderez celles-ci aussi !).

Pour 4 personnes

- 1 boîte de thon au naturel
- 1 c. à s. de faisselle ou de petit caillé
- 4 brins de ciboulette
- 4 petits cornichons
- 1 c. à c. d'huile de tournesol

Égoutter le thon, l'émietter à la fourchette dans une jatte, en réservant quelques petits morceaux. Ajouter la faisselle. Laver très soigneusement la ciboulette, la sécher, puis la ciseler finement. Couper les cornichons en rondelles. Mélanger la ciboulette et les cornichons avec le thon. Verser l'huile et mélanger à nouveau. Servir frais.

N. B.

On pourra aussi essayer avec des sardines dont on enlèvera préalablement l'arête centrale.

Explosions à la tapenade

D'habitude, la tapenade, on la mange tartinée sur du pain, sur des toasts un peu mous, ou même sur des biscottes quand l'envie se fait trop pressante... À mon avis, quand on est face à une bonne tapenade, lui réserver ce triste sort est presque un crime de lèse-majesté. Elle mérite mieux que ça ! Parons-la donc d'atours royaux et donnons-lui un air de fête pour qu'elle puisse surprendre et régaler avec délicatesse. Ça croque, ça craque sous la dent et ça explose gentiment avec la tomate ! (Faites tout de même attention à ne pas tapisser les murs de tomate explosée, ça ne fera plus classe du tout...)

Pour 4 personnes

- 50 g de tapenade noire
- 15 tomates cerises
- 8 feuilles de brick

Préchauffer le four à 200 °C. Laver les tomates. Couper des bandes d'environ 4 x 15 cm dans les feuilles de brick. Étaler un tout petit peu de tapenade sur les bandes (la couche doit être assez fine, sinon le goût de la tapenade est trop présent). Mettre 1 demi-tomate cerise à l'une des extrémités et rouler la bande. Disposer toutes les explosions sur une plaque à pâtisserie. Faire cuire au four pendant 5 min (surveiller la cuisson, les explosions doivent être juste dorées). Servir tiède.

Anisettes

Quand on est enceinte, l'heure de l'apéro prend parfois des allures de supplice. C'est le moment où l'on pense à ces petits cocktails maison (à peine alcoolisés) dont on se délectait il n'y a pas si longtemps. Et certains soirs, après une journée de grosse chaleur, on se laisserait bien tenter par un tout petit verre d'apéritif anisé, avec beaucoup de glaçons. Mais on ne craque pas, non, non, non, on ne craque pas, ou alors seulement pour ces anisettes (ou devrais-je dire ces fenouillettes, puisque c'est le fenouil qui donne son petit goût anisé aux biscuits) croustillantes, délicieuses avec une petite tomate cerise, et surtout aux conséquences bien moins dramatiques pour le développement du bébé, qui aime déjà les apéros, comme sa maman.

Pour environ 20 biscuits

- 100 g de bûche de chèvre
- 1 c. à c. de graines de fenouil
- 125 g de farine
- 75 g de beurre

Préchauffer le four à 180 °C. Écraser les graines de fenouil. Enlever la peau du fromage, le couper en petits morceaux. Mélanger soigneusement le beurre et la farine, incorporer le fromage et les graines de fenouil. Former un boudin d'environ 4 cm de diamètre. L'entourer de film alimentaire et le laisser pendant 15 min au congélateur, puis le sortir et le couper en rondelles pas trop épaisses. Disposer les anisettes sur une plaque à pâtisserie et les faire cuire au four pendant 12 min (les biscuits doivent être légèrement dorés). Laisser refroidir avant de servir.

DÉFENDU
APÉRITIFS
FAISANDÉ
POMMES DE TERRE
LÉGUMES
SALADES
LAIT

Tarama de jambon

Le tarama, tout le monde connaît ! Et pour cause, c'est tellement bon, quoique un peu gras et surtout interdit pendant la grossesse. Alors, pour cette version, beaucoup plus légère que la recette originale, on prend du jambon, pour la texture, du concombre, pour le côté fraîcheur, et de la betterave, qui fait office de colorant naturel. Pour la petite histoire, le véritable tarama, artisanal ou fait maison, n'a pas du tout la couleur rose fluo de son cousin industriel, il est plutôt saumon ou rose pâle. Du coup, la betterave n'est pas obligatoire, mais si vous décidez de l'utiliser, sachez qu'il en faut très peu pour obtenir la couleur désirée, et qu'elle ne modifie pas le goût. Donc, à vous de jouer : couleur renforcée ou naturelle ? Le bébé a-t-il une opinion sur la question ?

Couper grossièrement le jambon. Peler le tronçon de concombre. Mixer le jambon, le concombre et, le cas échéant, la betterave jusqu'à obtention d'une texture grumeleuse. Ajouter l'huile d'olive, mélanger et réserver au frais pendant 30 min. Servir avec du pain grillé, des blinis ou des rondelles de concombre.

Pour 4 personnes

- 2 tranches de jambon blanc sous vide
- 1 tronçon de 3 cm de concombre
- 1 petit cube de betterave (facultatif)
- 1 c. à c. d'huile d'olive

Entrées

J'ai envie de… *(bis repetita)*
Il n'y a pas que la nourriture !

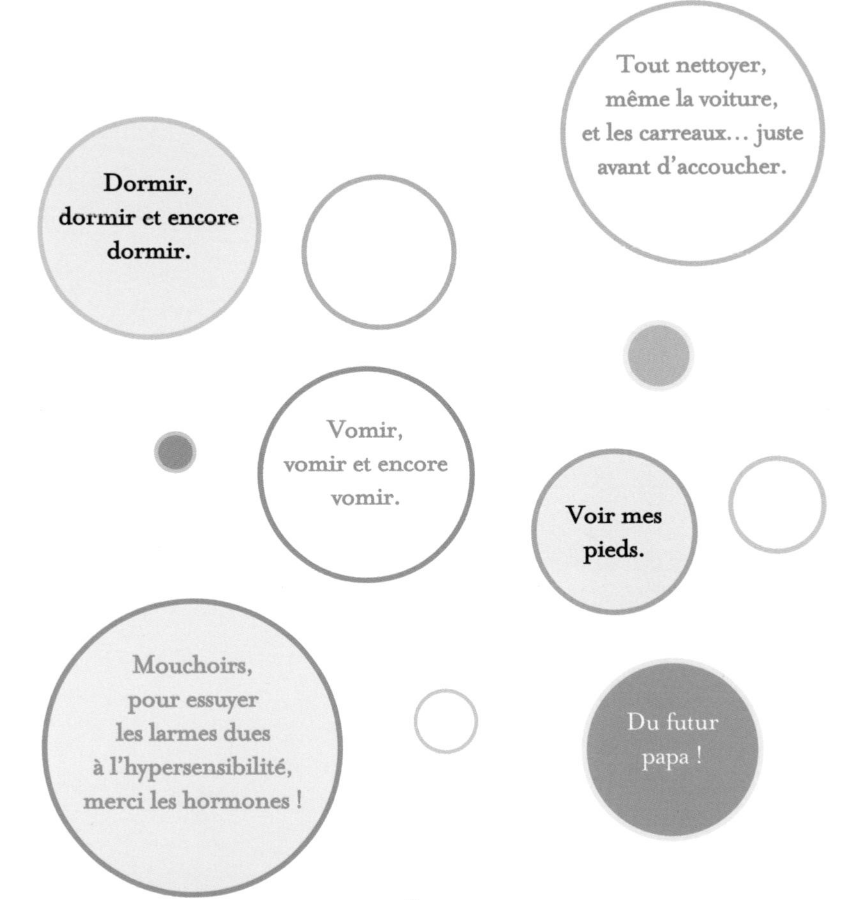

Qu'il sorte
enfin !

Brassières
très jolies,
mais impossibles
à enfiler.

Refaire toute
la déco
de la maison.

Nager,
barboter…
comme le bébé.

Parler
au bébé
ou du bébé
tout le temps !

Faire pipi !

Feuilles de bette farcies

J'ai découvert les bettes lors de ma première grossesse alors que j'étais en recherche de nouveaux légumes à cuisiner. Depuis, je suis totalement accro. Pour les côtes, il y a beaucoup de recettes, mais que faire des feuilles ? Personnellement, je les ai souvent offertes en cadeau à ma poubelle. Un jour, j'ai décidé de les préparer comme des épinards, comme ça pour voir. Puis j'ai commencé à les cuisiner à toutes les sauces Après y avoir goûté, je suis prête à parier que vous achèterez des bettes uniquement pour les feuilles !

Pour 4 personnes

- les feuilles de 1 botte de bettes
- 100 g de riz
- 1 tomate
- 1 oignon
- 25 g de pignons de pin
- le jus de ½ citron
- 1 c. à c. de quatre-épices
- 1 c. à c. de cannelle en poudre
- 2 c. à s. d'huile d'olive
- sel et poivre

Éplucher l'oignon, laver la tomate, les couper en petits dés. Faire chauffer 1 c. à s. d'huile dans une casserole, ajouter l'oignon et la tomate, puis laisser fondre pendant 5 min. Verser le riz dans la casserole, couvrir d'eau et faire cuire pendant 15 min (le riz doit être très tendre). Griller les pignons à sec dans une poêle et les incorporer au riz avec les épices, saler et poivrer selon son goût, mélanger soigneusement. Laisser refroidir la préparation. Laver les feuilles de bettes, les faire cuire une par une dans de l'eau bouillante de 1 à 2 min, puis les déposer sur du papier absorbant. Couper les grandes feuilles en deux. Mettre un peu de farce en bas de chaque feuille, replier les côtés avant de rouler assez serré. Mettre toutes les feuilles dans une cocotte, en les serrant le plus possible. Ajouter 25 cl d'eau, le jus de citron et le reste d'huile d'olive. Poser une assiette ou un plat au-dessus des feuilles, presser un peu (dans un autocuiseur, on peut mettre le panier juste au dessus). Couvrir et faire cuire pendant 25 min à feu très doux.

Tartare de tomates

Votre médecin a dû vous le dire : pas de viande crue pendant la grossesse ! Adieu donc les bons tartares, complices de tant de repas réussis… ou pas. Que diriez-vous d'un tartare végétarien ? Je vous garantis qu'il fera illusion. L'idéal est de trouver des tomates noires de Crimée. Non seulement elles sont succulentes, mais elles ont l'avantage d'avoir une chair dense et fondante, et leur couleur rappelle justement celle du bœuf cru dont vous raffolez. Ajoutez à cela l'huile d'argan si richement parfumée et la fraîcheur de la coriandre… et vous n'aurez plus une seule pensée pour ce bon vieux tartare du boucher. Foi d'ex-femme enceinte !

Pour 2 personnes

- 2 tomates noires de Crimée
- 1 botte de coriandre fraîche
- 2 c. à s. d'huile d'argan
- le jus de ½ citron
- sel et poivre

Laver soigneusement les tomates, enlever le pédoncule et les couper en petits cubes. Les mettre dans un saladier avec le jus rendu. Laver la coriandre, l'éponger dans du papier absorbant, détacher les feuilles et les ciseler. Mettre la coriandre, le jus de citron et l'huile dans le saladier. Saler et poivrer. Réserver au frais pendant 1 h avant de servir.

Foie gras… de morue

Le temps des fêtes peut être un calvaire pour la future maman, qui voit passer sous son nez le saumon, les huîtres, le foie gras, sans pouvoir y toucher. Dans ces cas-là, il n'y a qu'une chose à faire : positiver. Les interdits ont cet immense avantage qu'ils poussent à la créativité et aiguisent le sens de l'adaptation. En voici la preuve : il existe une merveille que l'on se contente le plus souvent de tartiner sur du pain grillé : j'ai nommé le foie de morue. Aucun rapport avec l'huile dont nos parents ont été gavés. La texture et la couleur rappellent le foie gras, et le petit goût de fumé s'accorde à merveille avec la clémentine. Alors, elle n'est pas bonne, mon idée ?

Pour 2 personnes

- 1 boîte de foie de morue
- 1 clémentine
- 4 feuilles de brick

Préchauffer le four à 180 °C. Peler la clémentine, puis retirer la fine peau blanche qui entoure les quartiers pour récupérer la pulpe, en essayant de ne pas l'écraser. Couper les feuilles de brick en deux, replier le bord rond afin de former un rectangle. Mettre l'équivalent de 1 petite c. à c. de foie de morue à une extrémité de la pâte, ajouter un peu de pulpe de clémentine. Replier la pâte comme pour confectionner un samosa. Faire cuire au four pendant 10 min.

Attention

Pendant la grossesse, on peut manger un peu de foie de poisson, mais il ne faut pas en consommer trop souvent.

Noix de saint-jacques au thé fumé

Lorsque j'étais enceinte, une de mes grandes frustrations a été de me passer de poisson fumé. Neuf mois peuvent paraître interminables quand on est accro au flétan fumé. J'ai tellement parlé de ce manque que des amis m'ont apporté des harengs fumés en guise de cadeau de naissance ! Ce n'est qu'à ma troisième grossesse que j'ai finalement trouvé un palliatif acceptable : les noix de saint-jacques cuites dans le thé fumé prennent un peu de sa saveur. Certes, il ne faut pas en abuser, car le thé freine l'assimilation du fer, mais vous pouvez en faire une entrée de fête, pour remplacer le saumon fumé à Noël, par exemple.

Pour 2 personnes

- 6 noix de saint-jacques
- 3 sachets de thé fumé
- 2 g d'agar-agar
- le jus de ½ citron

Chauffer 25 cl d'eau, la retirer du feu dès qu'elle commence à frémir. Y plonger 1 sachet de thé et laisser infuser pendant 5 min. Retirer le sachet. Ajouter 2 c. à c. de jus de citron et l'agar-agar, remettre à chauffer pendant 2 min en mélangeant bien. Verser le mélange dans un bol et le mettre au frais pour 1 h. Faire chauffer 50 cl d'eau. Hors du feu, laisser infuser les sachets de thé restants pendant 5 min. Retirer les sachets, remettre la casserole sur feu doux, y plonger les noix de saint-jacques et laisser pocher de 6 à 7 min. Sortir la gelée au thé du réfrigérateur et la découper en tout petits morceaux. Servir les noix de saint-jacques parsemées de gelée. Ce plat se déguste chaud ou froid.

Carpaccio de betterave

Je sais bien que cette entrée n'a de carpaccio que le nom. D'abord parce qu'il n'y a pas une once de viande crue (et pour cause !), mais aussi parce que la betterave qui en fait office est cuite. Ce qui est important, quand on triche pour remplacer un plat, c'est l'effet psychologique. On se persuade que c'est un carpaccio, car la betterave coupée en tranches rappelle un peu le bœuf cru. Et puis l'essentiel est d'y croire. Alors, peut-être bien que mon carpaccio n'en est pas un, mais il est délicieux, et celui-là ne vous est pas interdit.

Pour 2 personnes

- 2 petites betteraves cuites
- 1 poignée de mâche
- 2 c. à s. d'huile de noisette
- 20 g de noisettes
- sel et poivre

Laver soigneusement les feuilles de mâche, les égoutter et les éponger dans du papier absorbant. Couper les betteraves en très fines tranches. Hacher grossièrement les noisettes. Dans chaque assiette, alterner les tranches de betterave avec les feuilles de mâche. Saler et poivrer. Répartir les noisettes sur le dessus et arroser d'huile de noisette.

Astuce

Pour une entrée un peu plus festive, on peut servir ce carpaccio avec un morceau de saumon cuit en papillote.

Mille-feuille d'aubergines

Voilà une jolie entrée pour les jours d'été, légère, fraîche et raffinée, tout en étant facile et rapide à préparer. Elle peut même servir de base à un jeu dont le but est de deviner à combien de mois de grossesse vous en êtes. La règle est simple, il suffit de compter les couches du mille-feuille. Je vous l'accorde, au début, c'est moyennement drôle, il vaut mieux compter les semaines. Si vous en avez le courage, vous pouvez continuer ce petit jeu jusqu'au terme, mais le temps de préparation s'en ressentira un chouïa, je préfère vous prévenir…

Pour 2 personnes

- 1 aubergine
- 150 g de chèvre frais de type Chavroux
- 50 g de tomates confites
- ½ citron confit
- quelques brins de ciboulette

Laver l'aubergine et la couper en rondelles de 5 mm d'épaisseur environ. Chauffer une poêle-gril, y faire griller les rondelles pendant 2 min de chaque côté. Détailler les tomates confites et le citron en tout petits dés. Laver la ciboulette, l'éponger dans du papier absorbant et la ciseler. Mélanger le fromage, les tomates, le citron et la ciboulette. Monter le mille-feuille en alternant les rondelles d'aubergine et la préparation au fromage. Servir très frais.

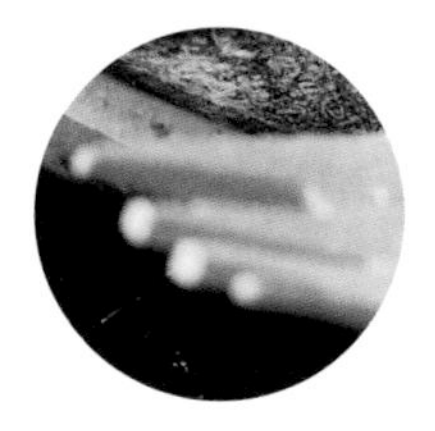

Salade de pois chiches

Le pois chiche est bourré de vertus : c'est une source de fibres, d'acide folique (vitamine B9), de fer et de magnésium. Comme tous les légumes secs, il apporte aussi des protéines. Tout ce qu'il faut pour que le bébé et la maman soient en pleine forme. Côté cuisine, on le retrouve le plus souvent dans le couscous et le hoummos. Sinon, il se fait plutôt discret, et c'est bien dommage ! Voici une recette qui permettra de lui rendre enfin la place qui lui est due.

Pour 4 personnes

- 400 g de pois chiches cuits
- quelques tomates séchées
- 1 tomate
- 2 tranches d'aubergine grillée marinée
- ½ oignon rouge
- 1 gousse d'ail
- le jus de ½ citron
- 1 c. à s. de tahiné
- ½ c. à c. de cumin en poudre
- ½ c. à c. de coriandre en poudre
- ½ bouquet de coriandre fraîche
- 2 c. à s. d'huile d'olive

Rincer les pois chiches, les mettre dans un saladier. Éplucher le demi-oignon et l'émincer très finement, presser l'ail, les ajouter dans le saladier. Couper les tomates séchées, l'aubergine et la tomate en petits dés, les incorporer aux pois chiches. Verser l'huile d'olive et le jus de citron, ajouter le tahiné et les épices, remuer. Laver soigneusement la coriandre, l'éponger dans du papier absorbant et la ciseler. Mélanger tous les ingrédients. Réserver au frais pendant quelques heures avant de servir.

N. B.

Le tahiné est de la pâte de sésame. On le trouve facilement dans les épiceries bio ou orientales (il peut être aussi appelé tahina ou tahin). C'est l'un des ingrédients du hoummos, mais il est aussi très bon simplement tartiné sur des tranches de pain de campagne grillé.

Chaussons légers aux épinards

En règle générale, les enfants n'apprécient pas particulièrement les épinards. D'où l'intérêt d'en manger tant que vous êtes enceinte, puisque votre chérubin n'a pas encore son mot à dire sur la question. Avec un peu de chance, il les appréciera peut-être d'autant plus que sa maman les lui aura fait goûter par cordon ombilical interposé. Peut-être... Pour vous, en tout cas, c'est une excellente source d'acide folique, si important en début de grossesse. Le choix des épinards est capital : commencez par oublier les conserves. Le frais, c'est le top en matière de goût et de vitamines, mais il faut laver les feuilles une à une et enlever toutes les queues un peu dures ; la préparation est donc un peu fastidieuse. Le surgelé semble être un bon compromis, à condition de le choisir non préparé.

Pour 4 chaussons

- 300 g d'épinards surgelés
- 100 g de feta
- 30 g de pignons de pin
- 8 feuilles de brick
- 20 g de beurre

Cuire les épinards à la casserole ou à l'autocuiseur. Émietter la feta. Griller les pignons à sec dans une poêle. Mélanger les épinards, la feta et les pignons. Préchauffer le four à 180 °C. Couper 8 disques de la taille d'une petite assiette dans les feuilles de brick. Pour former les chaussons, placer un disque de pâte dans un ramequin, le remplir d'un peu de mélange d'épinards, puis rabattre la feuille de brick par-dessus. Retirer le chausson du ramequin. Placer un nouveau rond de feuille de brick dans le ramequin et mettre le premier chausson réalisé par-dessus (le côté avec les feuilles rabattues vers le fond) puis rabattre la feuille de la même manière. Renouveler l'opération pour les autres chaussons. Poser les chaussons sur une plaque à pâtisserie. Faire fondre le beurre et le répartir sur les chaussons. Faire cuire au four pendant 15 min.

Salade de cresson aux fraises

Règle numéro un pour cette recette : bien choisir le cresson. Il faut absolument prendre du cresson « d'élevage » et surtout pas du cresson sauvage ou de fontaine, qui peuvent porter des bactéries ou des larves très nocives pour le bébé (et pour vous-même). L'association du cresson et des fraises est une vraie réussite : c'est la rencontre du doux et du piquant, du sucré et du salé, de l'entrée et du dessert. A priori, ce mariage peut paraître tout à fait improbable. Eh bien, pas du tout ! Ces deux-là s'entendent et se complètent à merveille, le genre de mélange un peu bizarre qu'on ne peut oser que lorsqu'on est enceinte !

Pour 2 personnes

- 1 botte de cresson
- 8 ou 10 fraises (selon leur taille)
- 12 framboises
- 2 c. à s. de pignons de pin
- 2 c. à s. de vinaigre balsamique
- 1 c. à s. d'huile d'olive
- fleur de sel et poivre

Laver très soigneusement le cresson, les fraises et les framboises. Couper les tiges dures du cresson. Équeuter les fraises. Si elles sont grosses, les couper en deux. Griller les pignons à sec dans une poêle. Juste avant de servir, mettre le cresson, les fraises et les framboises dans un saladier, parsemer de pignons. Préparer une vinaigrette en mélangeant dans un ramequin le vinaigre, l'huile d'olive, un peu de fleur de sel et du poivre. Servir la salade avec l'assaisonnement à part.

Salade toute fraîche

La salade, on ne le dira jamais assez, il faut en manger beaucoup. C'est plein de vitamine B9 (acide folique), si précieuse pendant les premiers mois de grossesse. Elle aide à la bonne fermeture du tube neural du bébé, évitant ainsi une malformation appelée spina-bifida. Pour bien faire, on commence à se jeter sur les salades avant même de concevoir le bébé. Certains médecins proposent un apport vitaminique en amont de la grossesse, mais la salade, c'est tellement bon qu'on aurait tort de se contenter des petits cachets, pas vrai ?

Couper le trognon de la salade, laver très soigneusement chaque feuille (surtout si on n'est pas immunisée contre la toxoplasmose), les essorer. Laver les radis, les couper en petites rondelles. Laver les herbes, puis les essuyer avec du papier absorbant. Détacher les feuilles du persil, de la coriandre et de la menthe, puis les ciseler (pas trop finement). Couper les brins de ciboulette en tout petits tronçons. Mélanger les herbes, la salade et les radis. Préparer ensuite la citronnette : mélanger l'huile et le jus de citron, saler et poivrer. Présenter l'assaisonnement à part, ce qui permet de conserver la salade jusqu'au repas suivant s'il en reste.

Pour 4 personnes

- 1 salade feuille de chêne
- 1 botte de radis
- ½ bouquet de persil plat
- ½ bouquet de coriandre
- 1 botte de ciboulette
- quelques feuilles de menthe
- 2 c. à s. de jus de citron
- 2 c. à s. d'huile d'olive
- sel et poivre

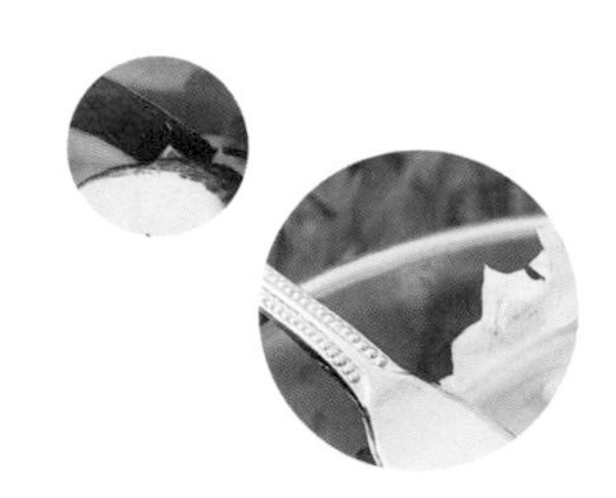

Salade d'oranges à l'oignon

Pourquoi réserver l'orange au jus du petit déjeuner ? Elle se prête aussi à des recettes inattendues. En voici une pleine de couleurs et de vitamines, qui s'invite comme un grand rayon de soleil au cœur de l'hiver. Ça fait du bien au moral et c'est plein de bonnes choses : une bonne dose de vitamine C, évidemment, mais pas seulement. Vous ne le savez peut-être pas, mais l'orange apporte aussi du calcium (eh oui, il n'y en a pas que dans le lait !), du magnésium (le chocolat n'a pas la primeur en la matière ; de plus, les oranges sont moins caloriques) et bien sûr les précieuses fibres qui favorisent la digestion. Alors, conquise ?

Pour 2 personnes

- 2 oranges
- 1 oignon rouge
- 10 olives noires
- 1 c. à s. d'huile d'olive
- 2 c. à c. de vinaigre de vin (facultatif)

Peler les oranges à vif (en conservant le jus qui s'écoule) et les couper en tranches. Éplucher l'oignon, le couper en rondelles et en réserver quelques-unes pour la décoration. Disposer les tranches d'orange sur des assiettes, en les intercalant avec les rondelles d'oignon. Répartir les olives par-dessus. Mélanger le jus des oranges, l'huile d'olive et le vinaigre (si on ne souffre pas d'aigreurs d'estomac), et verser cet assaisonnement sur les oranges. Décorer avec les rondelles d'oignon réservées. Servir bien frais.

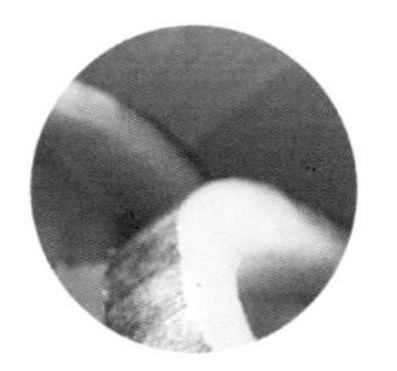

Plats

Mon ventre, c'est…

Un
punching-ball
avec le boxeur
à l'intérieur.

Un plateau sur lequel
on peut poser plein
de choses (mais attention
aux coups de pied
du bébé).

Énooooorme !

Un énorme
ballon de baudruche
qui se gonfle semaine
après semaine, mais hélas,
il n'est pas aussi léger
que l'hélium.

Une colline.

Un argument
pour doubler
les files d'attente.

Un garde–manger
avec spa intégré.

Tellement gros que je ne peux plus lacer mes chaussures !

Une pastèque.

Une bonne excuse pour ma mère qui appelle tous les jours.

Une occasion pour ma belle-mère de donner plein de conseils.

Un sujet de conversation perpétuel, même avec de parfaites inconnues.

L'objet de toutes les attentions.

Le centre du monde.

Fondue légère

Ah ! les fondues… Il y a la bourguignonne, superbonne, mais pas vraiment légère. Il y a la savoyarde, tout aussi délicieuse, mais défendue à cause des fromages au lait cru qu'elle contient. Et, heureusement, il y a la fondue asiatique, légère et pleine d'arômes ! On cuit les morceaux de viande et de poisson dans un bouillon de légumes. Chacun dépose ce qu'il veut dans sa petite épuisette (que l'on trouve facilement dans le commerce).

Du coup, personne ne perd plus son morceau dans le caquelon, et adieu les gages ! C'est vrai que, d'habitude, ça vous amuse plutôt, mais, bizarrement, l'idée de faire le tour de la table à cloche-pied avec le ventre de Pavarotti, ça vous amuse nettement moins, non ?

Pour 4 personnes

- 300 g de bœuf pour fondue
- 300 g de poisson à chair ferme (saumon, lotte…)
- 2 petites carottes
- 1 poireau
- 1 navet
- 1 oignon
- 1 petit morceau de gingembre
- 1 bâton de citronnelle
- 12 champignons noirs secs
- 2 c. à s. de sauce soja
- 200 g de vermicelles de riz

Faire tremper les champignons noirs dans de l'eau froide pendant 15 min. Éplucher et laver les légumes. Couper les carottes, le poireau et le navet en fins bâtonnets. Émincer l'oignon. Préparer le bouillon : mettre 1,5 l d'eau dans le caquelon du service à fondue. Ajouter les bâtonnets de légumes, le morceau de gingembre, le bâton de citronnelle coupé en rondelles et la sauce soja. Rincer les champignons, les mettre dans le caquelon. Laisser le bouillon mijoter pendant 30 min. Faire cuire les vermicelles dans de l'eau bouillante. Déposer le caquelon sur le brûleur, au centre de la table. Chacun se sert et trempe viande et poisson coupés en morceaux dans le bouillon pendant quelques minutes. Les vermicelles sont réchauffés dans l'épuisette plongée dans le bouillon.

Potée aux épices douces

Le pot-au-feu, c'est bon, ça ravigote, ça réchauffe, mais, il faut l'admettre, ce plat rustique est toujours un peu gras et parfois légèrement indigeste. Voici une recette beaucoup plus légère et raffinée, plus adaptée pour les futures mamans. On y retrouve les légumes, bien sûr, mais coupés très finement, et la viande est remplacée par des poissons fins. Cela rajeunit sacrément cette bonne vieille recette de grand-mère tout en conservant les apports nutritifs du plat d'origine. Une petite assiette de potée, Mamie ?

Pour 4 personnes

- 2 joues de lotte
- 400 g de saumon
- 4 noix de saint-jacques
- 4 poireaux
- 2 tomates
- 2 carottes
- 1 branche de céleri
- 2 oignons
- 2 gousses d'ail
- 1 c. à s. de graines de coriandre
- 4 capsules de cardamome
- 1 feuille de laurier
- 1 petit bouquet de thym
- 1 filet d'huile d'olive
- 1 l de bouillon de légumes (ou 4 cubes)

Laver avec soin les carottes, les poireaux et le céleri, les éplucher. Éplucher également l'ail et les oignons. Émincer le tout finement. Chauffer l'huile dans une cocotte, faire revenir les légumes émincés pendant 5 min, en remuant souvent. Laver les tomates, les couper en petits morceaux et les ajouter dans la cocotte. Verser le bouillon (ou les cubes dissous dans 1 l d'eau) et laisser mijoter pendant 1 min. Broyer grossièrement les graines de coriandre, ouvrir les capsules de cardamome. Mettre les aromates et les épices dans la cocotte. Couvrir et laisser cuire à feu doux pendant 20 min. Vérifier la cuisson des légumes, ajouter la lotte et le saumon puis poursuivre la cuisson de 8 à 10 min, selon l'épaisseur des morceaux. Ajouter les noix de saint-jacques 3 min avant la fin de la cuisson.

Gigot des paranos

Les choses changent, mais, il y a quelques années, quand on n'était pas immunisée contre la toxoplasmose, il était déconseillé de manger du mouton pendant la grossesse. Ou alors, il fallait qu'il soit ultracuit. Il semblerait que cette interdiction soit levée. Mais voici, pour les plus prudentes, une variation raffinée sur le thème du gigot de mouton appelé gigot de sept heures, ou gigot à la cuillère. D'accord, celui-ci ne cuit que pendant 2 h 45, et ce n'est pas du mouton, mais de l'agneau. C'est de la triche, oui ! Et alors ?

Pour 2 personnes

- 2 souris d'agneau
- 2 carottes
- 2 oignons
- 4 gousses d'ail
- 2 c. à s. d'huile d'olive
- 1 feuille de laurier
- 1 branche de thym

Préchauffer le four à 150 °C. Chauffer l'huile dans une petite cocotte et y faire dorer les souris d'agneau sur toutes les faces. Laver et éplucher les carottes, les couper en gros tronçons. Éplucher les oignons, les couper en quatre. Ajouter les carottes, les oignons, l'ail (avec la peau), le laurier et le thym dans la cocotte. Couvrir et enfourner. Au bout de 1 h de cuisson, verser un peu d'eau sur les souris toutes les 30 min. Les dernières 30 min, arroser toutes les 10 min (il faudra environ 50 cl d'eau en tout).

Astuce

On peut servir les souris d'agneau avec des flageolets ou des pommes de terre, mais pourquoi ne pas tenter des associations plus originales, par exemple avec des flans de légumes.

STAUB

Lasagnes au saumon

Ces lasagnes réservent bien des surprises : on tombe tantôt sur un petit pignon croquant, tantôt sur un morceau de tomate confite. Cette recette change des sempiternelles lasagnes à la bolognaise, que l'on finit par ne plus supporter à force de s'en être gavée (quoique...). Ici, on remplace la viande par du saumon (un poisson riche en bonnes graisses), on ajoute des épinards pour l'acide folique (vitamine B9, toujours bonne à prendre en début de grossesse) et de la tomate, pour montrer que l'on n'a rien contre les traditions, malgré tout. En revanche, pas de béchamel, ce sera moins gras et donc plus digeste. Ça va être la fête pour Bébé !

Pour 6 personnes

- 500 g de saumon
- 500 g d'épinards en branche surgelés
- 25 g de pignons de pin
- 150 g de mascarpone
- 1 bocal de 250 g de tomates confites
- 1 grand bocal de tomates pelées (600 g environ)
- 6 ou 7 lasagnes
- 50 g de gruyère râpé
- 2 cubes de bouillon de légumes
- sel et poivre

Préchauffer le four à 180 °C. Faire chauffer une casserole d'eau, ajouter les cubes de bouillon. Pocher le saumon dans le bouillon pendant 10 min. Faire cuire les épinards en suivant les indications sur le sachet. Couper les tomates pelées en morceaux et en mettre la moitié, ainsi que le jus, dans le fond d'un plat à gratin assez haut, puis couvrir de 3 à 4 lasagnes. Émietter le saumon, en recouvrir les lasagnes et parsemer de tomates confites. Mélanger les épinards et le mascarpone. Saler et poivrer. Faire griller les pignons à sec dans une poêle et les incorporer aux épinards. Verser cette préparation sur la couche de tomates confites. Recouvrir du reste de lasagnes. Ajouter le reste de tomates pelées, parsemer de gruyère râpé et faire gratiner au four pendant 30 min.

Poulet à la moutarde

Pendant leur grossesse, il y a des femmes qui ont des « envies jolies », qui ne mangeraient que des boutons de roses ou qui ne jurent que par les framboises… Moi, lorsque j'étais enceinte, j'avais une obsession : la moutarde. J'en mettais absolument partout. Il paraît que les envies reflètent les besoins du corps, j'imagine donc que la moutarde devait aider une digestion un tantinet paresseuse. Et vous, la moutarde, ça vous inspire ?

Pour 2 personnes

- 2 blancs de poulet
- 250 g de champignons de Paris
- 12,5 cl de crème fraîche liquide
- 1 c. à c. de moutarde à l'ancienne
- sel et poivre

Couper l'extrémité des pieds des champignons, les peler, les détailler en lamelles. Les rincer rapidement sous l'eau claire, puis les mettre dans une poêle et les faire suer. Mélanger la crème et la moutarde dans un bol. Quand les champignons sont cuits, ajouter le mélange crème-moutarde. Découper les blancs de poulet en aiguillettes et les faire cuire, si possible à la poêle-gril, sinon à la poêle ordinaire. Rassembler les champignons à la crème et les blancs de poulet dans une même poêle. Saler et poivrer. Réchauffer à feu doux pendant 5 min. Servir avec des pâtes ou du riz.

Parmentier de poisson aux baies roses

Pour certains, le hachis Parmentier évoque surtout de mauvais souvenirs de cantine, les jours où était servie cette platée parfaitement indigeste, dont le contenu laissait perplexe (ne s'agissait-il pas des escalopes de la veille dont personne n'avait voulu ?). Ici, nous sommes bien loin de la cuisine de cantine. Ce Parmentier est léger comme une plume, doux comme un bisou et, mine de rien, assez fin pour que vous puissiez le proposer à votre belle-famille. Cela devrait vous convaincre, même si vous avez d'autres chats à fouetter en ce moment que de recevoir vos beaux-parents !

Pour 4 personnes

- 4 filets de merlan (demander au poissonnier de retirer les arêtes)
- 500 g de pommes de terre
- 4 carottes
- 1 tête de brocoli
- ½ oignon
- 10 baies roses
- 12,5 cl de crème fraîche liquide
- 12,5 cl de lait
- chapelure
- 10 g de beurre
- 1 c. à s. d'huile d'olive
- sel et poivre

Éplucher le demi-oignon et le couper assez finement. Verser l'huile dans une poêle et y faire revenir l'oignon à feu doux. Quand il est devenu transparent, ajouter le merlan (il va se défaire à la cuisson, c'est normal). Lorsque le poisson est cuit, incorporer la crème fraîche et les baies roses, puis prolonger la cuisson pendant 5 min à feu doux. Préchauffer le four à 180 °C. Peler et laver tous les légumes, les faire cuire séparément, si possible à la vapeur. Une fois qu'ils sont cuits, les mélanger et les écraser en purée, puis ajouter le lait, du sel et du poivre. Beurrer légèrement un plat allant au four, mettre le poisson dans le fond et le recouvrir de purée de légumes. Saupoudrer de chapelure, parsemer de noisettes de beurre. Faire cuire au four pendant 25 min.

Gigot de lotte au lait de coco

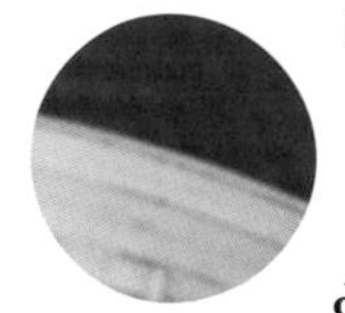

La lotte est un poisson si laid qu'on ne présente jamais sa tête sur les étals des poissonniers. En revanche, sa chair est un vrai bonheur. Elle est suffisamment ferme pour être préparée en gigot. Une fois cuite, elle est délicieusement moelleuse, fondante et douce… Une merveille qui fera des heureux un soir de fête. Et je ne vous parle pas de la sauce, qui est tellement bonne que j'en connais une qui l'a finie à la cuillère, toute seule, debout dans la cuisine, après le départ des invités. Mais ce n'était pas ma faute, c'est le bébé qui la réclamait !

Pour 4 personnes

- 1 kg de gigot de lotte
- 3 tomates
- 40 cl de lait de coco
- 1 citron vert
- 1 brin d'estragon
- 1 oignon
- 1 gousse d'ail
- 1 c. à s. d'huile d'olive
- sel et poivre

Demander au poissonnier de préparer le gigot de lotte. Faire chauffer l'huile dans une cocotte et y faire dorer le gigot sur toutes les faces. Le retirer et le déposer sur un plat. Éplucher l'oignon et l'ail, puis les émincer. Laver les tomates et les couper en petits dés. Mettre les légumes dans la même cocotte et les faire fondre pendant 10 min. Remettre le gigot dans la cocotte, ajouter le lait de coco, le jus du citron vert et l'estragon ciselé. Saler et poivrer. Cuire à feu doux pendant 20 min à couvert, puis pendant 10 min à découvert. Servir avec du riz.

Boulettes chouettes

La viande, il faut en manger. Il semble que le fer des protéines animales soit mieux assimilé que celui des légumes secs. Mais, plutôt que de se contenter d'un simple steak haché, pourquoi ne pas faire appel à sa créativité ? Vous pourrez essayer différentes associations, et vous amuser jusqu'à trouver le mélange qui vous convient ce jour-là (il sera peut-être différent un autre jour ; de toute façon, vous changez tout le temps d'avis depuis que vous êtes enceinte...). Un ingrédient suffit, et vous voilà transportée en Italie, ou au Maroc. Alors, pour vous, ce sera basilic ou cumin ?

Pour 2 personnes

- 200 g de steak haché
- herbes aromatiques (coriandre, thym, basilic, persil plat...)
- ou épices (cumin, curry, piment d'Espelette, quatre-épices...)
- ail, oignons, échalotes...

Diviser la viande en quatre parts (pour avoir différents goûts). Ajouter les herbes soigneusement lavées, séchées et hachées, ou les épices, l'ail, etc., dans chacune des parts. Pour les dosages, tout dépend de la force des épices. Par exemple : 1 petite c. à c. pour le piment d'Espelette, 1 pincée pour le curry ou le cumin, 1 bonne c. à c. pour les herbes hachées. Il faut faire confiance à son instinct et, dans le doute, en mettre plutôt moins que trop. Façonner des boulettes d'environ 2 cm de diamètre. Faire chauffer une poêle et y mettre à dorer les boulettes à sec (il vaut mieux faire cuire les différentes sortes de boulettes séparément).

Astuce

On peut aussi servir ces boulettes en apéro et essayer avec d'autres viandes : agneau, poulet...

Makis permis

Chez nous, quand on a un petit quelque chose à fêter, c'est sushis. Pendant quelque temps, nous avons fêté tous les mois le fait que je n'étais pas enceinte et que je pouvais encore manger du poisson cru… Jusqu'au jour où les sushis m'ont été interdits pour cause de bébé à venir. J'avoue que ce petit plaisir m'a manqué, jusqu'à ce que l'envie soit trop forte et que je me débrouille pour les rendre permis. D'ailleurs, il existe de vrais makis japonais tout à fait végétariens, que l'on peut donc parfaitement manger quand on est enceinte.

Pour 4 personnes

- 125 g de riz à sushis
- 1 avocat
- 1 mangue
- 8 feuilles de nori
- 1 ½ c. à s. de vinaigre pour sushis

Rincer le riz, le mettre dans une casserole avec 20 cl d'eau froide. Faire cuire à feu doux pendant 10 min (l'eau doit être entièrement absorbée). Étaler le riz dans un plat pour accélérer le refroidissement. Verser le vinaigre sur le riz et mélanger. Peler l'avocat et la mangue, les couper en lamelles. Mettre 1 feuille de nori sur un tapis de paille pour makis. Déposer du riz sur toute la longueur de l'algue (en formant un boudin d'environ 2 cm de diamètre). Ajouter des lamelles de mangue et d'avocat : la bonne proportion est moitié riz, moitié fruits. Rouler l'algue sur elle-même. Faire de même avec les autres feuilles de nori. Couper des tronçons de 2 à 3 cm avec un couteau sans dents trempé dans de l'eau.

Astuce

On trouve dans le commerce des « sets à sushis » : ils contiennent le riz, le vinaigre, les algues et le petit tapis…

Accompagnements

Les petits bonheurs de l'attendre

Chercher un prénom.

Être chouchoutée.

Choisir les habits de la salle de naissance (chez moi, un truc bleu, un truc blanc, un truc neuf, un truc emprunté, un truc vieux pour porter bonheur !).

S'amuser à regarder les vêtements de bébés.

Imaginer la chambre.

Trouver un petit truc rigolo pour l'annoncer à l'entourage.

Passer des heures à imaginer le bébé ; aura-t-il les gros mollets du papa avec les petits genoux de sa maman ?

Voir les remous
de son ventre,
qui bouge avec
les mouvements
du bébé.

Sentir la main
du papa qui fait
des caresses
au petit.

« Essayer »
les prénoms sur
le bébé pour voir
s'il réagit quand
on les prononce.

Essayer
de tricoter
des petits chaussons,
et ne pas forcément
y arriver.

Pouvoir assouvir
n'importe quelle envie,
aussi tordue soit-elle,
sans que personne n'ose
faire de réflexion.

Avoir des
places réservées
dans
le métro (enfin,
en théorie !).

Fabriquer
ou choisir les
faire-part.

Fausse poule au pot, sans poule ni pot

Pour être honnête, cette recette n'en est pas vraiment une, mais ça a été mon péché mignon pendant des semaines et des semaines quand j'étais enceinte. Je raffolais de cette version de la poule au pot plus que simplifiée. De la recette traditionnelle, je n'ai gardé que les poireaux, les carottes et la sauce blanche. Mais, il y a ici un bel avantage : c'est très rapide à préparer et, ma foi, c'est très bon. Ce n'est certes pas un plat de fête, mais c'est réconfortant et ça met de bonne humeur.

Pour 2 personnes

- 120 g de riz
- 4 petites carottes
- 4 petits poireaux
- 4 c. à s. de farine
- 50 g de beurre
- 50 cl de bouillon de légumes ou 2 cubes
- citron ou vinaigre (facultatif)
- sel et poivre

Laver et éplucher les carottes. Couper le vert des poireaux, les inciser sur la longueur et les passer sous l'eau pour enlever toute la terre. Faire cuire tous les légumes entiers, à la vapeur de préférence. Faire cuire le riz comme indiqué sur le paquet. Préparer la sauce blanche : faire fondre le beurre dans une casserole, ajouter la farine et mélanger vivement. Verser le bouillon petit à petit en tournant sans arrêt. Lorsque la préparation est crémeuse, retirer la casserole du feu. Servir les carottes et les poireaux nappés de sauce blanche. Saler et poivrer selon son goût. Pour les amateurs, on peut ajouter quelques gouttes de citron ou de vinaigre.

Semoule aux fèves et aux petits pois

Voilà une association qui peut paraître surprenante. Je n'ai qu'une chose à dire : goûtez, vous allez adorer ! Mais vous devez bien choisir les légumes. Prenez des fèves et des petits pois frais ou surgelés, mais surtout pas en boîte : il faut qu'ils restent un peu croquants et bien verts. N'oubliez pas que petits pois et fèves sont à ranger dans la catégorie des féculents. Alors, pensez à manger un autre légume en entrée pour que votre repas soit équilibré !

Pour 4 personnes

- 250 g de semoule (si possible complète)
- 250 g de fèves
- 250 g de petits pois
- 1 c. à c. de cumin en poudre
- 1 c. à c. de cannelle en poudre
- 1 noisette de beurre
- sel

Faire cuire séparément les petits pois et les fèves à l'eau bouillante salée. Préparer la même quantité d'eau et de semoule. Faire griller la semoule dans une poêle. Quand elle commence à être dorée, la mettre dans un récipient avec couvercle. Verser l'eau bouillante sur la semoule, couvrir et laisser gonfler pendant 5 min. Incorporer le beurre, mélanger et égrener la semoule. Ajouter les épices, du sel, puis les fèves et les petits pois. Servir chaud ou froid.

Curry de chou

Il devait forcément y avoir une recette de chou, puisque les petits garçons naissent dans les choux, c'est bien connu (les petites filles ne seront pas en reste, il y a aussi un dessert à base de roses p. 122). Du chou, donc, mais une recette qui ne soulève pas le cœur de la pauvre future maman, qui a développé une aversion chronique pour toute odeur un peu forte. Eh bien, voilà qui est fait ! Ce plat a en outre l'immense avantage de donner l'impression d'avoir été mijoté des heures et des heures durant, comme une bonne viande mitonnée. Mais ici, il n'y a pas de viande, pas plus que de gras.

Pour 6 personnes

- 1 chou chinois
- 1 bocal de 630 g de tomates pelées
- 50 g d'amandes effilées
- 50 g de raisins secs
- 1 oignon
- 1 gousse d'ail
- 1 c. à c. de curry
- 1 c. à s. d'huile d'olive
- sel et poivre

Chauffer l'huile dans une cocotte, y faire revenir l'ail et l'oignon pelés et émincés. Couper les tomates en morceaux, les verser dans la cocotte avec le jus. Laver le chou et détailler les feuilles en lanières, jeter le cœur, qui est trop dur. Mettre le chou dans la cocotte et faire chauffer à couvert pendant 10 min à feu moyen (le chou va « tomber »). Ajouter les raisins secs, le curry, du sel et du poivre. Laisser mijoter pendant 15 min. Faire griller les amandes à sec dans une poêle. Servir le chou et présenter les amandes dans un petit bol à côté, chacun pourra en mettre sur son plat selon son goût.

Flans de légumes

Enceinte (ou non, d'ailleurs), il ne faut jamais perdre une occasion de manger des légumes. Mais il n'est pas obligatoire de se contenter de légumes tristounets cuits à la vapeur. C'est bon un moment, mais à force, ça devient lassant. Il est vrai que ces petits flans sont un peu plus gras que des légumes vapeur (et encore, il n' y a rien de dramatique), mais ils offrent l'occasion de faire des associations amusantes, voire bluffantes ! Enceinte, on est en pleine création, alors il faut en profiter.

Pour 4 personnes

- 300 g de légumes cuits (betteraves, asperges, haricots verts, champignons, salade, petits pois…)
- 2 c. à s. de crème fraîche
- 1 œuf
- beurre
- sel et poivre

Préchauffer le four à 180 °C. Mixer rapidement les légumes choisis, puis les presser légèrement pour qu'ils rendent leur eau. Mélanger l'œuf et la crème fraîche dans une jatte. Ajouter les légumes mixés, du sel et du poivre, mélanger. Répartir la préparation dans des petits moules légèrement beurrés. Faire cuire au four au bain-marie pendant 30 min. (On peut utiliser des moules en silicone; les formes sont jolies, c'est plus facile à démouler, on fait l'économie du beurre et il n'est pas nécessaire de faire cuire les flans au bain-marie).

Astuce

On peut améliorer les flans en associant les légumes avec un autre ingrédient : par exemple, des brocolis avec des amandes effilées, des épinards avec une pointe d'ail, des carottes avec des graines de courge grillées, ou du chou-fleur avec une pincée de cumin.

Courgettes au curcuma

Ce plat met de bonne humeur, c'est comme un rayon de soleil, c'est frais, ça croque sous la dent, ça donne envie de chanter... Vous pensez que j'exagère ? Revenons donc à des considérations plus pragmatiques : ce qui est génial, c'est que vous pouvez préparer ces courgettes en deux temps trois mouvements, et les déguster soit chaudes, soit froides (pour l'été, c'est l'idéal). Vous voyez que je n'exagère pas !

Pour 4 personnes

- 1 kg de courgettes (préférer les plus petites)
- 2 petites gousses d'ail
- 1 c. à c. de curcuma
- 1 c. à s. d'huile d'olive

Laver très soigneusement les courgettes, ôter les extrémités. Les couper en deux dans la longueur. Mettre le côté coupé contre le plan de travail, détailler des lamelles de 1 cm environ sur la longueur. Recouper transversalement pour former des petits cubes. Peler et presser l'ail (penser à enlever le germe). Faire chauffer l'huile dans une sauteuse, y faire revenir l'ail pendant quelques instants, puis ajouter les courgettes et le curcuma, couvrir. Laisser cuire pendant 15 min à feu doux, en remuant régulièrement. Les courgettes doivent rester légèrement croquantes.

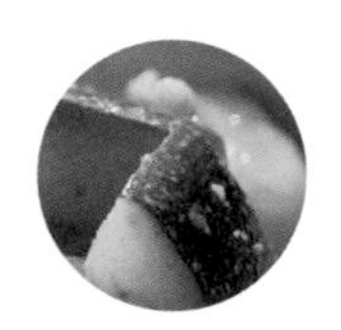
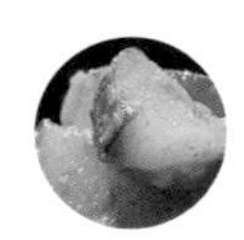

Aubergines fondantes au cumin

Je milite fermement pour la consommation débridée d'aubergine ! Celle-ci est bien trop négligée, alors qu'elle peut être très raffinée et qu'elle se prête à de multiples associations (pas seulement avec les tomates et les courgettes pour la ratatouille). Côté santé, l'aubergine est assez peu calorique et apporte son lot de fibres, plébiscitées par les intestins paresseux. Son seul inconvénient est qu'elle se comporte comme une véritable éponge dès qu'elle est en présence d'huile. Mais il y en a très peu dans cette recette, elle ne sera donc pas tentée de s'en gorger. Vous pouvez y aller les yeux fermés.

Pour 4 personnes

- 2 aubergines
- 1 gousse d'ail
- 1 c. à c. de cumin en poudre
- 1 c. à s. d'huile d'olive
- sel et poivre

Laver les aubergines et les couper en cubes d'environ 2 x 2 cm, sans les peler. Éplucher l'ail et l'émincer finement. Faire chauffer l'huile dans une sauteuse, y mettre l'ail et les cubes d'aubergine. Faire dorer à feu vif pendant quelques instants, puis ajouter le cumin. Baisser le feu et couvrir. Laisser fondre pendant environ 15 min en remuant régulièrement. Les aubergines sont cuites quand elles ont pris une coloration un peu grise et qu'elles sont devenues tendres. Saler et poivrer si nécessaire.

Astuce

Ces aubergines sont délicieuses avec le riz au miel et aux fruits secs de la p. 110. Elles s'accordent aussi très bien avec des pâtes.

Riz au miel et aux fruits secs

Le riz complet est meilleur pour la santé que le riz blanc. Mais il peut aussi être meilleur tout court. Il révèle un petit côté croquant que son cousin pâlichon n'a pas. L'effet est ici encore renforcé par les amandes hachées. Pour ajouter une touche d'exotisme, on relève d'une pointe de curry et d'un peu de miel. Si vous n'êtes toujours pas convaincue par les bienfaits du riz complet et si vous n'êtes décidément pas prête à l'adopter, sachez que cette recette peut être réalisée avec du riz blanc. Dans ce cas, il faut penser à réduire le temps de cuisson. Mais ça me ferait plaisir que vous essayiez le riz complet, vraiment…

Pour 4 personnes

- 250 g de riz thaï complet
- 1 c à s. de miel liquide
- 2 c à s. d'huile d'olive
- 50 g d'amandes effilées
- 1 c. à c. de curry

Calculer le volume de riz (en le mettant dans un récipient qui sert d'étalon), le rincer et l'égoutter. Faire chauffer l'huile dans une casserole, y faire revenir le riz rapidement. Ajouter le miel et le curry, mélanger. Verser de l'eau dans la casserole (deux fois le volume du riz). Faire cuire pendant 30 min à couvert, à feu doux. Vérifier régulièrement la cuisson, ainsi que le niveau d'eau. Le riz doit être cuit quand il a absorbé toute l'eau. Si ce n'est pas le cas, ajouter un peu d'eau et prolonger la cuisson de quelques minutes. Hacher grossièrement les amandes. Servir le riz parsemé d'amandes hachées.

Astuce

On peut remplacer les amandes par des pignons, des pistaches ou encore des graines de courge.

Carrés de courgette

Pour le coulis de tomates qui accompagne cette recette, il y a la version des femmes pressées et celle réservée aux femmes en congé de maternité, qui ont un peu plus de temps. Pour les premières, le coulis de tomates tout fait est la solution, mais, surtout, il faut en choisir un de qualité. Pour les autres, le coulis maison s'impose : prenez 1 kg de tomates bien mûres et ébouillantez-les pour pouvoir les peler plus facilement. Faites revenir 4 oignons et 1 gousse d'ail épluchés et émincés dans une casserole avec 1 filet d'huile d'olive, puis ajoutez les tomates coupées en morceaux et 1 c. à c. de sucre en poudre. Selon votre goût, ajoutez du laurier, du thym ou du basilic. Laissez compoter pendant 30 min et mixez. Ce n'est pas bien compliqué, et vous pouvez même en congeler un peu pour les jours où le temps vous manquera, à vous aussi.

Pour 6 personnes

- 1 kg de courgettes
- 1 bouquet de basilic
- 6 œufs
- 1 c. à s. de farine
- 2 oignons
- 2 gousses d'ail
- 2 c. à s. d'huile d'olive
- beurre pour le moule
- sel et poivre

Couper les oignons en fines lamelles, émincer l'ail. Faire chauffer l'huile dans une sauteuse, y faire rapidement revenir l'ail et l'oignon. Laver soigneusement les courgettes, les couper en rondelles et les mettre dans la sauteuse. Laisser cuire à couvert pendant 20 min (les courgettes doivent être tendres). Préchauffer le four à 180 °C. Laver les feuilles de basilic, les éponger dans du papier absorbant, puis les ciseler. Battre les œufs dans un saladier, ajouter les courgettes, le basilic et la farine, mélanger soigneusement. Saler et poivrer. Beurrer un moule à cake et y verser la préparation. Faire cuire au four pendant 40 min. Laisser refroidir, couper en carrés et servir sur un coulis de tomates.

Soufflés de potimarron

Avec les soufflés, on a toujours l'impression de revivre la fable de La Fontaine *La grenouille qui veut se faire aussi grosse que le bœuf.* **Le soufflé s'étend et enfle pour épater la galerie… et il finit par se dégonfler, à l'image de la grenouille. Je ne vais pas vous donner de solution miracle pour sauver le soufflé (ou la grenouille), mais plutôt réhabiliter le soufflé essoufflé. Ces soufflés au potimarron sont sublimes et délicieux à la sortie du four, avec leur ventre bien dodu, et ils feront à coup sûr sensation. Mais, s'ils s'affaissent un peu vite et qu'ils adoptent le look ratatiné, eh bien ils seront toujours aussi bons. Comme quoi les apparences sont bien peu de chose.**

Pour 6 personnes

- 1 potimarron (environ 600 g de chair)
- 4 œufs
- 70 g de beurre
- 3 c. à s. de farine
- 25 cl de lait
- 70 g de gruyère râpé
- noix muscade râpée
- sel et poivre

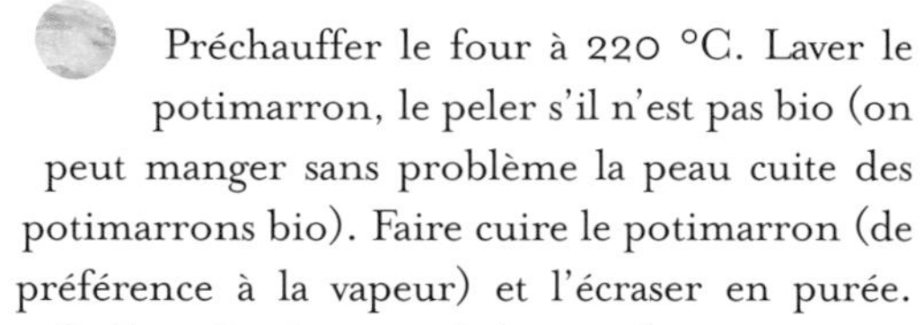

Préchauffer le four à 220 °C. Laver le potimarron, le peler s'il n'est pas bio (on peut manger sans problème la peau cuite des potimarrons bio). Faire cuire le potimarron (de préférence à la vapeur) et l'écraser en purée. Séparer les blancs des jaunes d'œufs. Faire fondre 50 g de beurre dans une casserole, ajouter la farine en pluie en remuant vivement, puis verser le lait petit à petit, en mélangeant sans cesse, afin d'obtenir une béchamel. Hors du feu, incorporer les jaunes d'œufs, le gruyère, la purée de potimarron, 1 pincée de noix muscade, du sel et du poivre. Monter les blancs d'œufs en neige ferme et les incorporer délicatement au mélange précédent. Beurrer 6 ramequins avec le beurre restant. Répartir le mélange dans les ramequins. Faire cuire au four pendant 20 min, en surveillant la cuisson. Servir dès la sortie du four.

Desserts

Toutes ces choses que l'on entend

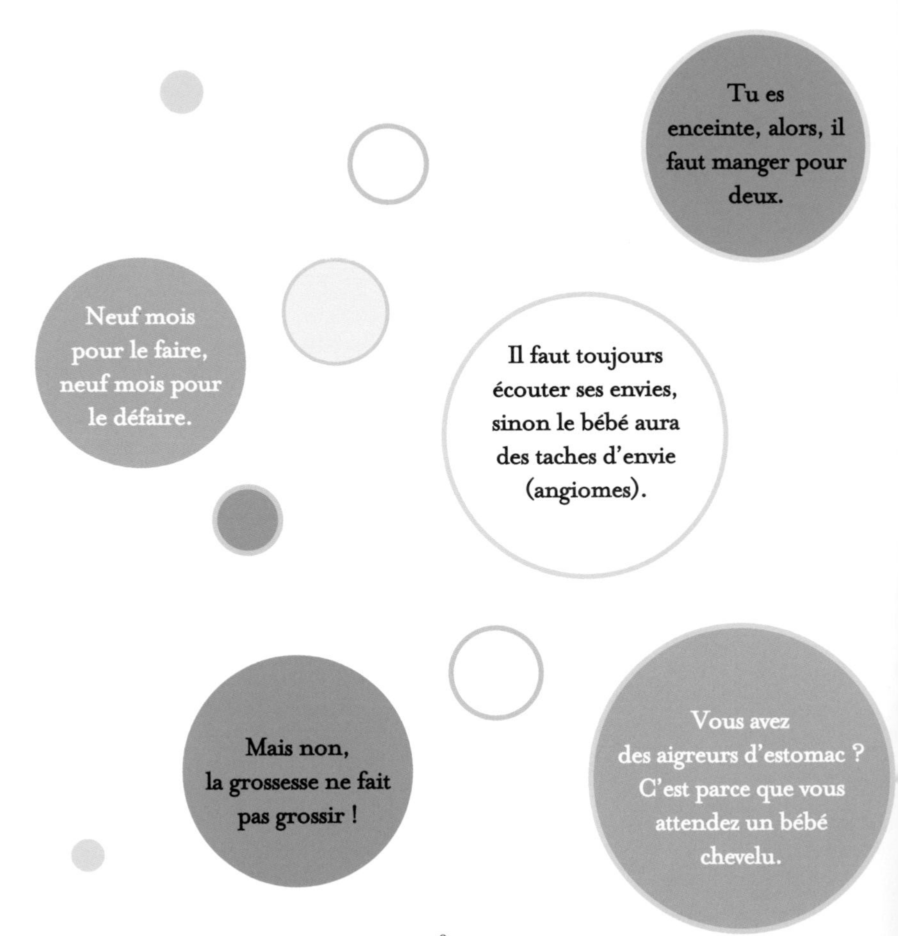

Si tu écoutes
tes envies de fruits
rouges, le bébé
aura des taches
de naissance.

Vas-y, reprends
de la chantilly, c'est
le bébé qui en a
envie.

Ventre pointu,
garçon attendu !
Ventre rond, petite
fille à l'horizon.

Mal joli est vite oublié
(en parlant des douleurs
de l'accouchement :
sur le moment, on a
du mal à y croire...)

Ne lève pas
les bras, tu vas
le perdre.

Gâteau au fromage blanc et à l'ananas

Bon, d'accord, sous prétexte de profiter des bienfaits du calcium et des fruits, on se fait un grand plaisir. Attention, s'il est vrai que le fromage blanc apporte une bonne dose de calcium et si l'ananas contient beaucoup de vitamine C et de fibres, ce gâteau, délicieux au demeurant, est riche en sucre et en graisse. Régalez-vous, mais avec modération.

Pour 6 personnes

- 500 g de fromage blanc à 40 % de matière grasse
- 175 g de spéculoos
- 1 ananas (ou, à défaut, 1 boîte d'ananas en tranches)
- 3 œufs
- 150 g de sucre en poudre
- 2 c. à s. de farine
- le zeste de 1 citron
- 90 g de beurre

Préchauffer le four à 180 °C. Tapisser une passoire de papier absorbant, y mettre le fromage blanc à égoutter. Réduire les spéculoos en poudre, en les passant au mixeur, par exemple. Faire fondre 70 g de beurre. Mélanger soigneusement les biscuits écrasés et le beurre. Enduire un moule à tarte du reste de beurre. Répartir le mélange beurre-spéculoos dans le fond du moule. Séparer les blancs des jaunes d'œufs. Fouetter le sucre et les jaunes d'œufs dans un saladier, puis ajouter la farine. Battre les blancs en neige dans un autre saladier. Incorporer délicatement les blancs d'œufs et le fromage égoutté. Ajouter le zeste de citron. Mélanger le contenu des deux saladiers et le verser dans le moule à tarte. Faire cuire au four pendant 40 min. Peler l'ananas et le couper en petits morceaux. Sortir le gâteau du four et le laisser refroidir. Une fois qu'il est froid, répartir les morceaux d'ananas par-dessus.

Mille-feuille à la rose

C'est bien connu, les petits garçons naissent dans les choux, et les petites filles dans les roses. Allons ! personne n'est dupe, même plus les enfants, à notre époque. Mais, en hommage à ce dicton populaire, voici un petit dessert aérien, léger et qui fait toujours son effet. C'est aussi une manière d'annoncer à la famille qu'une petite fille arrivera dans quelques semaines.

Pour 4 personnes

- 1 c. à s. d'eau de rose
- 25 cl de crème fraîche liquide
- 4 feuilles de brick
- 20 g de beurre
- 10 g de sucre en poudre
- quelques pétales de rose cristallisés

Préchauffer le four à 180 °C. Mettre la crème fraîche, l'eau de rose, les batteurs du fouet électrique et le saladier au réfrigérateur. Découper 20 disques de 8 cm de diamètre dans les feuilles de brick (à l'aide d'un verre de diamètre équivalent, autour duquel on fait passer la pointe d'un couteau). Faire fondre le beurre et en badigeonner chacune des faces des disques. Les poser sur une plaque à pâtisserie et saupoudrer chacun de 1 pincée de sucre. Les faire cuire au four de 3 à 4 min, les sortir dès qu'ils sont dorés et les laisser refroidir. Mélanger la crème et l'eau de rose dans le saladier refroidi et monter le mélange en chantilly à l'aide d'un fouet électrique. Au moment de servir, monter chacun des mille-feuilles : superposer 2 disques de feuille de brick pour la base, un peu de chantilly, quelques pétales de rose, renouveler l'opération deux fois, en terminant par un peu de chantilly et des pétales de rose.

Terrine orange-pomélo

Ce dessert est garanti sans sucre, si ce n'est celui des fruits et du jus, ce qui reste raisonnable et qui fera le bonheur de toutes celles qui ont la malchance d'avoir développé un diabète gestationnel léger (si vous êtes sous insuline, référez-vous au régime qui vous a été prescrit). Cette douceur ravira aussi celles qui n'ont pas de diabète, car c'est diablement bon. Il faut certes un peu de courage pour éplucher tous les quartiers des agrumes. Mais combattre la fine peau qui les recouvre peut être un travail très viril... Je vous assure que cette terrine est encore meilleure quand c'est le futur papa qui a épluché les fruits.

Pour 6 personnes

- 6 oranges
- 4 pomélos roses
- 25 cl de jus d'orange (sanguine, c'est plus joli)
- 4 g d'agar-agar

Peler les agrumes, puis séparer les quartiers et retirer la fine membrane qui les entoure en passant un couteau à dents entre la pulpe et la peau. Penser à recueillir dans un bol le jus qui s'écoule des fruits. Verser le jus d'orange et le jus des fruits dans une casserole, ajouter l'agar-agar et mélanger vivement. Faire chauffer pendant 2 min, puis retirer du feu. Tapisser un moule à cake de film alimentaire. Verser 2 cm de jus de fruits à l'agar-agar dans le fond du moule. Attendre pendant quelques instants que la gelée prenne un peu. Disposer les quartiers d'agrumes en intercalant les couleurs sur toute la longueur, couvrir de gelée. Renouveler l'opération jusqu'à épuisement des ingrédients. Laisser au réfrigérateur pendant au moins 2 h. Démouler juste avant de servir.

Cigares… aux fruits secs

Et pour finir un bon repas, vous prendrez bien un petit cigare ? Horreur et damnation ! D'accord, ce n'est pas terrible comme blague. Vous vous doutez bien que je ne vais pas vous proposer une recette à base de tabac (je ne sais même pas si ça existe, d'ailleurs…). Vous imaginez déjà des délices orientaux dégoulinants de graisse et de miel. Ma version est nettement plus légère et plus digeste. Je n'ai gardé que le meilleur : le croustillant des feuilles de brick, le croquant des fruits secs et la douceur de la fleur d'oranger. Allez, soyez folle, prenez-en deux ou trois !

Pour 4 personnes

- 50 g de pistaches
- 50 g d'amandes
- 25 g de dattes
- 25 g de raisins secs
- 2 c. à c. d'eau de fleur d'oranger
- 2 c. à s. de miel liquide
- 8 feuilles de brick
- 10 g de beurre fondu

Préchauffer le four à 180 °C. Concasser les pistaches dans un bol, ajouter des morceaux de datte, 1 c. à s. de miel et 1 c. à c. d'eau de fleur d'oranger, puis mélanger. Concasser les amandes dans un autre bol, ajouter les raisins secs, le reste de miel et d'eau de fleur d'oranger, mélanger. Découper des carrés de 6 x 6 cm dans les feuilles de brick. Déposer 1 c. à c. de l'un des mélanges sur un des bords et le façonner en boudin de 3 cm de long. Plier les côtés du carré de feuille de brick de manière à recouvrir les bords du boudin. Rouler la feuille en partant du côté avec la pâte. Renouveler l'opération avec les 2 préparations différentes jusqu'à épuisement des ingrédients. Faire fondre le beurre. Badigeonner les cigares d'un peu de beurre fondu. Les disposer sur une plaque recouverte de papier sulfurisé et les faire cuire au four pendant 7 min.

Aspics de fraises

Un livre de cuisine pour femmes enceintes sans recette à base de fraises serait inconcevable. Voici donc un superbe petit dessert qui met à l'honneur un fruit dont les futures mamans mourraient d'envie, paraît-il, tout au long de leur grossesse. Personnellement, je n'ai pas été atteinte de la folie des fraises quand j'attendais mes enfants. Moi, c'était plutôt la moutarde et le vinaigre (on ne choisit pas...). Quoi qu'il en soit, envie ou pas, on ne plaisante pas avec la saison des fraises. Celles que l'on trouve en hiver sont insipides, hors de prix et bourrées de pesticides et autres horreurs antiécologiques. Pour vous régaler de ces aspics, il vous faudra donc attendre le mois de mai, ensuite, vous pourrez en profiter jusqu'en août. Si vraiment la tentation se fait trop forte l'hiver venu, vengez-vous sur un bon coulis, ou des fraises séchées.

Pour 6 personnes

- 500 g de fraises
- 50 cl de jus de pomme
- 2 c. à s. de sucre en poudre (roux, de préférence)
- 6 feuilles de menthe
- 4 g d'agar-agar

Faire chauffer le jus de pomme avec le sucre et l'agar-agar dans une casserole pendant 2 min. Laver les fraises, les essuyer et les équeuter. Couper les plus grosses en deux ou en quatre. Mettre les fruits dans la casserole et laisser cuire à petits bouillons pendant 5 min. Ajouter les feuilles de menthe lavées, séchées et finement ciselées. Répartir la préparation dans des petits ramequins. Laisser au réfrigérateur pendant 1 h pour que la gelée prenne.

Astuce

Présenter l'aspic dans des récipients transparents ou dans des verres. Pour démouler facilement les ramequins, il faut les tapisser de film alimentaire.

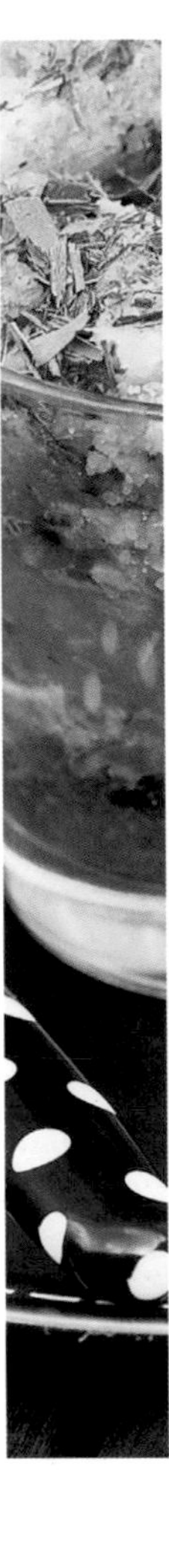

Crumble pomme-gingembre-choco

Du gingembre dans un crumble ? En voilà une drôle d'idée ! Et pourtant… Le gingembre est censé avoir des vertus aphrodisiaques, c'est ce qu'on dit. Mais ce qu'on dit moins, c'est qu'il a aussi un pouvoir antinauséeux. Mon amie Marie croquait des paquets entiers de gingembre confit au début de sa grossesse, avec un certain succès. Intéressant, non ? Et si l'effet antinausée n'est pas probant, vous aurez tout de même dégusté un savoureux dessert, rapide à préparer. Et puis, vous pouvez peut-être compter sur le deuxième effet du gingembre, qui sait…

Pour 6 personnes

- 4 belles pommes
- 35 g de gingembre confit
- 60 g de chocolat noir
- 200 g de farine (si possible semi-complète)
- 150 g de cassonade
- 150 g de beurre + 20 g pour le moule

Préchauffer le four à 180 °C. Beurrer un moule à gâteau. Laver les pommes, les éplucher et les détailler en dés. Couper le gingembre et le chocolat en petits morceaux. Mélanger les pommes, le gingembre et le chocolat, et verser le tout dans le moule. Pour confectionner l'appareil à crumble, mélanger la farine et le sucre, ajouter le beurre coupé en morceaux. Mélanger délicatement du bout des doigts. Quand la préparation a une consistance sableuse, la répartir sur les pommes. Faire cuire au four pendant 30 min. Le crumble est cuit quand la croûte commence à être dorée et que les pommes sont fondantes.

Figues au yaourt

Au départ, il y avait juste l'envie de proposer un dessert rapide, bon et plein d'éléments nutritifs bénéfiques. Les ingrédients étaient : des fruits, pour les vitamines et les fibres, du yaourt, pour le calcium, du miel, pour la note gourmande, et quelques amandes effilées, parce que c'est joli et que ça apporte un peu de croquant. Une chose était sûre, pour que le résultat soit réussi, il fallait choisir des fruits moelleux : pêches, abricots, poires, fraises, figues... Et puis, le moment de faire la photo est arrivé, on a tout essayé : les fruits sous ou sur le fromage frais, mais rien n'était satisfaisant à l'œil. Et là, Isabelle, la photographe, a eu la bonne idée : il fallait fourrer le fruit de préparation au miel et aux amandes. C'est ainsi que mon dessert, de rapide et bon, est devenu rapide, bon et beau. Merci, Isa !

Pour 4 personnes

- 8 figues assez grosses
- 1 petit pot de faisselle
- 2 c. à c. de miel liquide
- 50 g d'amandes effilées

Laver les figues. Couper le haut, retirer la chair très délicatement avec une petite cuillère et la réserver. Égoutter la faisselle. Mélanger la chair des fruits et la faisselle. Farcir les figues de cette préparation et verser quelques gouttes de miel liquide sur chacune. Faire griller les amandes à sec dans une poêle et les disposer sur les fruits.

Astuce

Bien sûr, on peut toujours réaliser la version originale en procédant par couches : une couche de fruit, une couche de faisselle ou de yaourt type bulgare, un peu de miel et quelques amandes. C'est moins joli, mais tout aussi bon !

Tarte fraises-rhubarbe

Les cuisiniers le savent bien, bon nombre de recettes sont le fruit du hasard. Parfois, c'est une horreur, d'autres fois, c'est un bonheur. Ce dessert est simplement né d'un approvisionnement insuffisant en rhubarbe ; il m'a donc bien fallu trouver une solution pour garnir ma tarte. Je n'avais que des fraises sous la main, mais elles ont joué les bouche-trous à merveille. D'ailleurs, j'ai tellement aimé le résultat que je ne fais plus la tarte à la rhubarbe que de cette façon. Il faut dire que l'acidité de la rhubarbe est atténuée par la douceur des fraises. Alors, une envie ?

Pour 6 personnes

- 3 tiges de rhubarbe
- 250 g de fraises
- 3 œufs
- 200 g de farine
- 125 g de sucre en poudre
- 50 g de cassonade
- 150 g de beurre
- 3 c. à s. de crème fraîche
- sel

Mélanger 1 œuf avec 75 g de sucre dans un saladier, ajouter la farine, 1 pincée de sel et 75 g de beurre coupé en morceaux. Pétrir ces ingrédients jusqu'à obtention d'une pâte homogène, puis former une boule, l'envelopper dans du film alimentaire et la laisser au réfrigérateur pendant 1 h. Préchauffer le four à 180 °C. Préparer la crème : mélanger 1 œuf et 1 jaune d'œuf avec la cassonade et le reste de sucre, ajouter la crème fraîche et mélanger à nouveau. Faire fondre 50 g de beurre, attendre qu'il refroidisse un peu et l'incorporer à la préparation. Beurrer un moule à tarte, y étaler la pâte et la napper de crème. Peler la rhubarbe, la laver, la couper en tronçons. Couper en deux les fraises lavées et équeutées. Disposer les fruits sur la tarte. Faire cuire au four pendant 40 min.

Santa Clara

Goûters

La grossesse vue par les papas

« Quand Mélanie était enceinte, j'ai eu une crise d'appendicite. C'était sûrement ma manière à moi d'attirer l'attention sur mon ventre. »
Bertrand, un papa un peu jaloux

« Quand j'ai su que Sophie était enceinte, je voulais satisfaire ses envies, je lui épluchais même ses pommes quand elle me demandait de lui en rapporter une. »
Thomas, un papa un peu trop prévenant

« J'ai pris un abonnement à la salle de gym. Je ne voulais pas que le bébé ait honte de mes poignées d'amour naissantes. »
Suleimane, un papa en pleines formes

« Chouette, on va pouvoir acheter un monospace. »
Benjamin, un papa as du volant

« Pourvu que
ce soit un garçon,
il pourra regarder le foot
à la télé avec moi. »
Frédéric, un papa qui
regarde trop Téléfoot

« J'ai eu une vrai
couvade : 5 kilos en plus,
un peu d'hypertension,
des envies bizarres. »
Samuel, un papa
solidaire

« J'aurais voulu lui faire
des bons petits plats, mais
avec tous ces interdits… »
Thierry, un papa qui aurait
bien aimé avoir ce livre

« Dès que j'ai su
que je serais papa, j'ai voulu
protéger ma femme… et le bébé :
tout porter à sa place, préparer
les repas. J'aurais été prêt à lui laver
les dents si elle me l'avait demandé !
Ça a duré quelques jours, et Pauline
m'a supplié d'arrêter. »
Sylvain, un papa inquiet

Vrai lait fraise

Le lait fraise servi dans les cafés, c'est simplement du lait et un filet de sirop de fraise. Ce n'est pas mauvais, mais vraiment très, très sucré. Le genre de plaisir que l'on réserve aux enfants quand ils ont été très sages. Le lait fraise que je vous propose est beaucoup plus diététique et parfaitement adapté à la future maman et au bébé tapi dans son ventre. Quant aux petits qui gambadent déjà autour d'elle, ils risquent de l'apprécier très vite. Et pour cause : les vraies fraises ont une saveur bien plus alléchante que le sirop aromatisé utilisé habituellement, et le lait ribot donne un petit goût aigrelet tout à fait intéressant. Essayez, vous ne verrez plus jamais le lait fraise comme avant.

Pour 4 grands verres

- 250 g de fraises
- 1 yaourt type bulgare
- 50 cl de lait ribot (ou de lait fermenté)
- 1 ou 2 c. à s. de sucre en poudre

Laver et équeuter les fraises. Les mettre dans le bol d'un mixeur avec le yaourt et le lait, puis mixer jusqu'à obtention d'une préparation homogène. Ajouter du sucre selon goût.

Variantes

On peut aussi ajouter de la menthe ou du basilic, ou remplacer les fraises par des pêches, du melon, etc.

Faux bonbons

Enfin une bonne nouvelle pour toutes celles qui doivent limiter leur apport en sucre et qui ont des envies folles furieuses de bonbons. Certes, ces petites bouchées n'ont pas la consistance un peu élastique des vrais bonbons gélifiés. Mais, au moins, vous saurez ce qu'il y a dedans. Si vous optez pour des jus de fruits bio, c'est parfait ; sinon, vérifiez tout de même que les jus sont sans sucre ajouté et sans colorant. Ces faux bonbons ont un avantage indéniable : vous pouvez en manger beaucoup sans culpabiliser, ce qui tombe bien, parce qu'ils se reliquéfient quand on les laisse à température ambiante. Vous voilà donc obligée de les manger très vite (ou de les remettre au frais, mais c'est nettement moins drôle) !

Pour 30 bonbons environ

- 25 cl de jus de fruit (pomme, orange, ananas, pamplemousse…)
- 2 g d'agar-agar

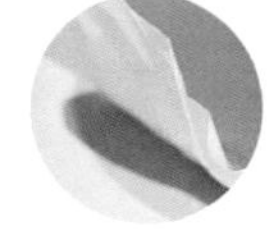

Verser le jus de fruit dans une casserole et ajouter l'agar-agar, mélanger vivement, puis faire chauffer pendant 2 min. Répartir cette préparation dans les compartiments d'un bac à glaçons. Laisser le bac au réfrigérateur pendant 1 h. Démouler les bonbons en glissant le manche d'une cuillère dans chaque alvéole.

Astuce

Si l'on veut faire des bonbons à deux parfums, il faut opérer en deux temps : verser une première préparation dans le fond du bac à glaçons, laisser prendre au frais, puis ajouter une couche d'une deuxième préparation et remettre au frais. On peut aussi créer quelques petites surprises : des fruits secs qui seront pris dans la gelée, de la cannelle avec le jus de pomme… Toutes les fantaisies sont permises !

Gâteau aux fruits secs

Voilà un gâteau que l'on apprécie de déguster en automne, à un retour de promenade en forêt. Il est riche, c'est vrai, mais il est également d'une grande valeur nutritive. Les fruits secs sont assez caloriques, certes, mais ils sont intéressants, car source d'éléments indispensables : oligoéléments, acides gras mais aussi fibres. Les amandes et les noix apportent aussi du magnésium (appréciable contre les crampes) et du fer, dont vous avez particulièrement besoin.

Pour 6 personnes

- 80 g de raisins secs
- 4 figues séchées
- 10 dattes séchées
- 8 abricots secs
- 40 g de noix
- 40 g de noisettes
- 40 g de noix de cajou
- 40 g d'amandes
- 300 g de farine
- 1 sachet de levure
- 100 g de sucre en poudre
- 75 g de beurre
  + 20 g pour le moule
- 1 c. à c. de cannelle en poudre
- 1 c. à c. de coriandre en poudre
- 1 pincée de poivre
- ½ c. à c. de noix muscade râpée
- ½ c. à c. de gingembre en poudre

Préchauffer le four à 150 °C. Dénoyauter les dattes et les abricots. Couper les figues, les dattes et les abricots en morceaux. Hacher grossièrement les noix, les noisettes, les amandes et les noix de cajou. Mettre tous les fruits secs dans une casserole avec le sucre, le beurre et 25 cl d'eau. Porter à ébullition et laisser bouillonner pendant 3 min. Quand les fruits sont tièdes, ajouter les épices. Mélanger la farine et la levure, les ajouter aux fruits secs et remuer soigneusement. Beurrer un moule à cake, y verser la préparation et faire cuire au four pendant 1 h. Vérifier la cuisson en plantant un couteau dans la pâte : s'il ressort sans trace, le gâteau est cuit. Laisser refroidir avant de déguster.

Compote mi-cuite, mi-crue

Cette recette est une sorte de défi, celui de convaincre un grand gaillard trentenaire que la compote n'est pas réservée exclusivement aux bambins de trois ans ni à leur maman en attente du prochain petit bout de la maisonnée. Cela n'a pas été facile (le trentenaire peut être bougon, parfois), mais j'ai réussi à le faire plier en associant deux de ses fruits préférés : les pommes et les prunes. J'ai choisi les quetsches pour être sûre de faire un carton. Et ça n'a pas manqué. Il a mordu à l'hameçon comme un chérubin. À tel point que je l'ai surpris debout devant le frigo en train de se régaler en cachette de ma compote mi-cuite, mi-crue. Quand on dit que les hommes sont de grands enfants...

Pour 4 personnes

- 2 pommes à compote type reinettes
- 4 petites prunes ou 6 grosses
- 6 pruneaux
- 2 c. à s. de sucre en poudre

Laver et éplucher les pommes, les couper très finement. Les verser dans une casserole avec le sucre et laisser caraméliser pendant quelques instants. Poursuivre la cuisson en ajoutant de l'eau de temps en temps afin que la compote n'attache pas. Couper les pruneaux en quatre. Quand la compote est cuite (au bout de 15 min environ), ajouter les pruneaux détaillés en morceaux et poursuivre la cuisson à feu très doux pendant 5 min. Laisser refroidir. Laver les prunes, les dénoyauter, les couper en quatre, puis les ajouter à la compote.

Tchaï

Le tchaï est un thé indien épicé. Dans la recette traditionnelle, on utilise du thé noir et du lait de soja. Mais le thé freine l'absorption du fer dont vous avez vraiment besoin, et le soja est déconseillé pendant la grossesse. Dommage ! La seule chose que vous puissiez garder, ce sont les épices. Ne perdez pas le moral pour autant : cette infusion merveilleusement revigorante et stimulante n'a rien à envier à la boisson dont elle est inspirée. En fait, un mélange sans thé existe dans les épiceries bio... Mais c'est plus amusant de le faire soi-même.

Pour 4 tasses

- 1 litre d'eau
- 1 petit morceau de gingembre
- 3 clous de girofle
- 1 c. à c. de quatre-épices
- 5 capsules de cardamome
- 2 bâtons de cannelle
- du miel liquide et un peu de lait (facultatif)

Porter l'eau à ébullition dans une casserole, puis ajouter le gingembre pelé et coupé en lamelles (on doit obtenir l'équivalent de 1 c. à s.) ainsi que les clous de girofle. Laisser frémir pendant 5 min. Inciser les capsules de cardamome, les ajouter dans l'eau avec le quatre-épices et la cannelle. Laisser chauffer pendant encore 10 min. Filtrer et servir dans de grandes tasses. Éventuellement, sucrer avec du miel et ajouter un nuage de lait.

Confiture de lait à la chicorée

Cette recette n'a aucun atout santé, ne change rien aux crampes, n'apaise pas les aigreurs d'estomac et ne facilite pas le transit intestinal. De plus, elle est hypersucrée (c'est quand même du lait concentré sucré confit : aïe, aïe, aïe !). Mais c'est tellement bon ! Et si c'est bon au palais, c'est bon pour le moral, chose ô combien importante quand on a une petite baisse de forme. On étale la confiture de lait sur des tartines ou sur des crêpes, ou on en badigeonne un fond de tarte avant d'ajouter des tranches de pomme. Et quand il y a urgence, on peut la déguster directement à la cuillère, mais attention, on ne mange pas tout le pot d'un coup.

Pour 1 pot

- 1 boîte de lait concentré sucré
- 3 c. à c. de chicorée liquide

Ouvrir la boîte de lait concentré, ajouter la chicorée et mélanger. Recouvrir la boîte de papier d'aluminium. La poser dans une casserole d'eau bouillante (l'eau doit arriver à quelques centimètres du haut de la boîte) et faire cuire à feu moyen pendant 1 h 30. Vérifier régulièrement la cuisson et le niveau d'eau. La confiture est cuite quand elle s'est épaissie. Laisser refroidir. On peut la conserver pendant quelques jours au frais.

Teurgoule

Rien que le nom, ça fait rêver… C'est du riz au lait, mais agrémenté d'une petite pointe de cannelle. La teurgoule est une spécialité normande, dont le nom signifierait littéralement « qui tord la bouche », sûrement à cause de la cannelle, dont la saveur était jadis peu habituelle dans les contrées normandes. Ma version n'est pas vraiment normande, mais je l'aime bien quand même. Et vous ?

Pour 4 personnes

- 75 g de riz rond
- 1 litre de lait entier
- 1 c. à c. de cannelle moulue
- 60 g de sucre roux
- 1 pincée de sel

Préchauffer le four à 150 °C. Faire chauffer une casserole d'eau. Rincer le riz, le jeter dans l'eau bouillante. Attendre la reprise de l'ébullition, puis le retirer du feu et l'égoutter. Faire chauffer le lait avec le sucre, le sel et la cannelle. Ajouter le riz et faire cuire pendant 5 min à feu doux. Verser la préparation dans une terrine. Faire cuire au four pendant 2 h 30. Une croûte brun doré va se former. Au bout de 2 h, vérifier la cuisson : le riz et le lait doivent former une crème onctueuse.

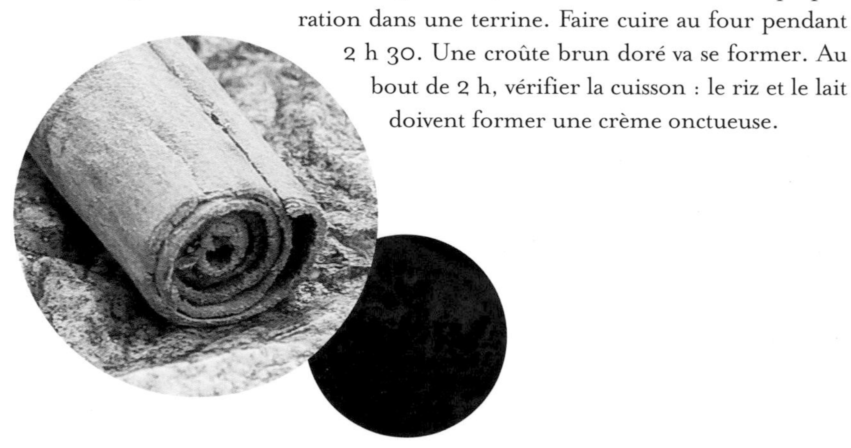

Le nécessaire de survie à la maternité

Neuf mois de restrictions, c'est long, mais, une fois que vous êtes à la maternité, vous réalisez que tout cela n'était rien lorsque vous découvrez ce plus beau bébé du monde en pleine forme… grâce à vous, à votre sérieux, à votre scrupuleux respect des interdits, à votre envie de bien faire ! Maintenant, la plupart des aliments qui vous étaient défendus sont de nouveau autorisés. Tant mieux, vous allez enfin pouvoir vous faire plaisir ! Seul bémol : la nourriture de la maternité est souvent la même que celle de l'hôpital, c'est-à-dire que, dans le meilleur des cas, elle est totalement insipide… et dans le pire, vraiment mauvaise !

Voici donc une petite liste de choses à ne pas oublier.

Si vous avez le bonheur d'avoir une chambre avec réfrigérateur, profitez-en : vive le retour des charcuteries et du fromage au lait cru (pour plus de discrétion, il faut éviter le maroilles ou l'époisses, les chambres sont souvent mal aérées, vous recevrez sûrement beaucoup de visites, et l'odeur de munster sied assez mal à l'idée que l'on se fait d'une maternité !).

- Une petite bouilloire électrique (il en existe de minuscules !), les sachets d'infusion ou de thé qui vous feront plaisir. Et pour vous sentir comme chez vous, ou presque, prenez donc votre tasse, celle dont vous ne sauriez vous passer.

- Pour le matin, du bon pain et de la confiture maison seront sûrement les bienvenus. En milieu hospitalier, les petits déjeuners se limitent à une boisson chaude, deux tartines de pain plus ou moins frais et une plaquette de beurre.

- Des fruits frais !

- Un ou deux yaourts (ça aide toujours à rattraper un repas...)

- Quelque chose qui vous mettra du baume au cœur, même si ce n'est pas vraiment diététique, du genre gâteaux gras et sucrés que vous pouvez manger, juste pour une fois, de manière compulsive, sans vous poser de questions. Et pourquoi prendre cela ? Pour ce que les puéricultrices de ma maternité ont baptisé « la nuit de java ». Rien à voir avec les nuits de Chine, nuits câlines... Non, ce sont ces nuits qui suivent des journées pendant lesquelles le petit amour n'a pas daigné montrer la couleur de ses yeux, ni aux grands-mères, ni au papa ravi, ni même à vous... Et comme le charmant chérubin a passé sa journée à dormir, il lui prend parfois l'envie de rester éveillé toute la nuit et de hurler ! Vous avez beau changer sa couche, le faire téter toutes les cinq minutes, le promener, chanter, rien n'y fait, il hurle ! Dans ces cas-là, il n'y a qu'une chose à faire : vous jeter sur les biscuits pour oublier les hurlements. Je vous rassure, la nuit de java n'a lieu qu'une fois... en théorie, du moins.

Inutile de venir à la maternité avec un chariot de supermarché. Le séjour est de courte durée, et le papa peut toujours approvisionner la maman, renouant ainsi avec son rôle primitif de chasseur-cueilleur en quête de nourriture pour sa famille. Dans le cas présent, la tâche est plus simple, il ne s'agit que d'assurer votre ration de survie en milieu hostile... D'ailleurs, le nouveau papa, ému et reconnaissant, aura peut-être la bonne idée de vous apporter un plateau-repas un peu classe, avec foie gras ou saumon fumé, toasts, jolie assiette et même, pourquoi pas, une petite bougie, histoire de fêter l'heureux événement, à deux ! Bien sûr, dans sa prévenance, il aura aussi pensé aux couverts, à la serviette, au citron...

Le retour à la maison

Voici venu le jour où vous rentrez à la maison avec le bébé, les cadeaux, le bonheur, mais aussi avec la fatigue et quelques incertitudes. Et la vie continue, il faut bien penser à la préparation des repas.

Au retour de la maternité, il y a une mission pour le papa : il peut certes s'occuper du bébé, mais il peut aussi et surtout s'occuper de la maman.

Cher papa : bien entendu, vous aurez pris soin de ranger la maison et même de tout laver. Vous aurez pensé à changer les draps, à aérer toutes les pièces. Le cas échéant, faites disparaître les traces de fiesta avec les copains : il est vrai que la maman apprécie déjà assez peu de n'avoir pu faire la fête, elle appréciera encore moins de rentrer dans une maison avec des canettes qui traînent partout ! Préparez une jolie table avec des fleurs, un petit repas, même simple, c'est l'intention qui compte !

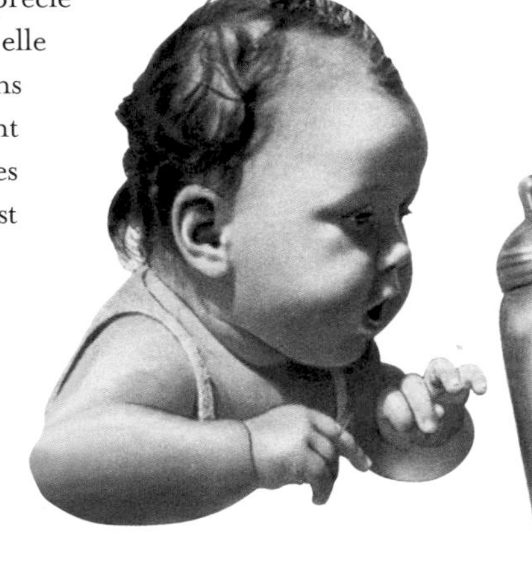

Au quotidien

Avant la naissance, pensez à congeler quelques petits plats, ou à remplir le congélateur : les premières semaines peuvent être un peu chaotiques. Vous n'aurez pas nécessairement le temps ni l'envie de cuisiner.

Vous pouvez aussi vous faire livrer, et pas seulement des pizzas ! Il existe un peu partout des services de restauration à domicile.

Une vraie soirée à deux

Et puis, quand vous vous sentez prête, vous pouvez envisager la première sortie au restaurant. Surtout, ne prenez pas le bébé avec vous : les restaurants ne sont pas des lieux pour les nourrissons. Le plus souvent, ils détestent ça et braillent tout le temps, ce qui vous gâche un moment qui aurait dû être une fête et, en prime, vous attire les foudres de l'ensemble de la salle (des parents aussi, pour la plupart, mais qui ont réussi à se débarrasser de leur progéniture pour se retrouver entre adultes, tranquilles !).

Donc, quand l'heure du premier vrai resto arrive, faites garder le bébé : demandez à une mamie, qui sera forcément ravie, à un papi, un tonton, la voisine ou une baby-sitter, qui sera contente d'empocher quelques sous... Bref, vous trouverez bien une personne en qui vous aurez confiance. Si vous devez passer la soirée à vous angoisser, mieux vaut rester à la maison ! Voici quelques conseils pour que cette sortie soit pleinement réussie.

- Choisissez un restaurant pas trop loin de chez vous.
- Faites-vous belle.
- Craquez pour les plats dont vous avez le plus envie : ce soir, adieu les interdits !
- Le papa conduira pour que vous puissiez boire au moins deux verres de vin ! À ce sujet, attention, vous sortez d'une grande période d'abstinence, votre résistance à l'alcool a beaucoup changé. Si vous allaitez encore, prenez soin de tirer votre lait avant.

Bien sûr, vous passerez probablement la soirée à parler du bébé ! Mais c'est tellement bon !

L'allaitement

Vous l'avez nourri pendant neuf mois et cela ne vous a pas suffi, vous voilà décidée à l'allaiter. Ce n'est bien sûr pas une obligation, mais, si vous en avez envie, n'hésitez pas, car l'allaitement au sein présente de nombreux avantages pour le bébé et pour vous.

Dans le cas où vous choisissez d'allaiter, vous devrez continuer à manger de façon équilibrée, comme pendant la grossesse, mais vous pourrez enfin reprendre les fromages au lait cru, les pâtés qui vous ont tant manqué pendant que vous attendiez Bébé... Les interdits concernent les médicaments (pas d'automédication, renseignez-vous toujours), l'alcool (si vous voulez boire un verre de vin, pensez à tirer votre lait avant ou attendez que l'alcool ait été totalement éliminé de votre organisme avant d'allaiter de nouveau), le thé et le café (vous pouvez en prendre un peu plus qu'avant, mais pas trop, au risque d'avoir un bébé très réveillé !).

Les femmes qui allaitent ne savent jamais exactement quelle quantité a été prise par leur enfant et se posent l'éternelle question : ai-je assez de lait ? Dans la majeure partie des cas, la réponse est oui. Mais si vous doutez vraiment, sachez qu'il existe des aliments qui sont censés favoriser la lactation... Vous pouvez les essayer. Il est vrai que ce sont des remèdes de bonne femme, et qu'ils ne s'appuient pas toujours sur des bases très scientifiques. Dans le pire des cas, ils n'ont aucun effet, mais ce n'est pas dramatique, ils sont inoffensifs ! Dans le meilleur des cas, le résultat est probant, et vous voilà rassurée. Voici donc les petites aides auxquelles vous pouvez avoir recours.

- Les tisanes de fenouil.
- Le cumin, le curry, le carvi (en pharmacie, on trouve un complément alimentaire en granulés à base de cumin, de carvi et de fenouil, mais attention, il est très sucré !).
- Le fenugrec : soit en graines à moudre et à mettre sur les salades, soit en gélules (en pharmacie).
- La bière (sans alcool, bien entendu ! En fait, ce serait la levure de bière qui serait efficace).
- Les amandes, les noix de cajou, les dattes (attention, c'est assez gras et/ou très sucré !).
- Le malt en poudre (comme dans une célèbre boisson chocolatée, dont les barres étaient à manger en moins de 8 secondes).
- L'orge cuite, le millet, les lentilles, le quinoa.
- La salade verte, le cresson.

En revanche, mieux vaut éviter le persil, l'aneth et la sauge, qui réduiraient la production de lait.

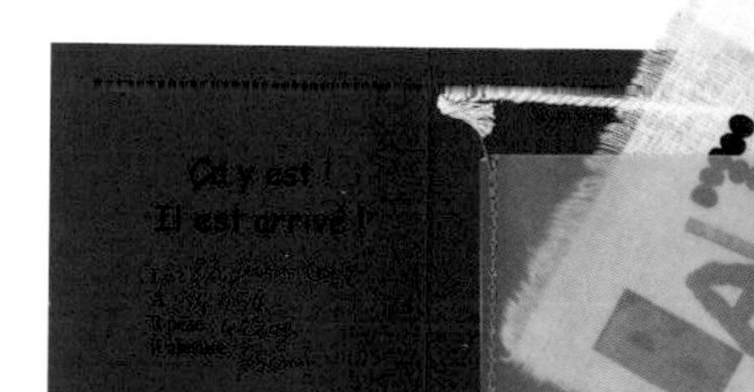

La genèse du livre

adresse e-mail : chatspitres.ratsconteurs@wanadoo.fr

Tout a commencé par un coup de téléphone de ma copine Juliette, qui, enceinte de sa fille Margot, venait d'apprendre qu'elle avait peut-être un diabète gestationnel. Elle cherchait des recettes pour survivre à l'enfer culinaire qui se profilait ! Le soir même, j'ai envoyé un mail à Raphaële Vidaling, en faisant remarquer que la grossesse n'est pas toujours drôle à vivre sur le plan de l'alimentation, surtout quand certaines pathologies apparaissent, et qu'un livre sur le moyen de rendre cela plus gai serait le bienvenu.. Au moment où j'envoyais ce message, j'étais enceinte de deux jours ! Bien sûr, je ne le savais pas, mais j'attendais mon troisième enfant.

Un livre destiné aux futures mamans, donc... pourtant, je ne suis ni médecin ni sage-femme. Le projet pouvait paraître ambitieux ! Mais je me suis appuyée sur ma propre expérience. J'ai eu trois grossesses, dont la première a été une horreur sur le plan alimentaire : non seulement je n'arrivais pas à m'adapter aux interdits, mais j'ai développé un diabète gestationnel. Et puis Madelon est née. Hasard ou conséquence, elle ne mange que par nécessité. Pour la deuxième grossesse, j'ai décidé de ne pas revivre ce calvaire et j'ai beaucoup progressé. Je me suis adaptée, avec un grand plaisir d'ailleurs ! Cerise est arrivée parmi nous, et c'est une vraie gastronome ! Pour la troisième grossesse, eh bien, j'ai fait encore mieux, j'ai joint l'utile à l'agréable : j'ai écrit ce livre, j'ai testé, ajusté toutes les recettes... Balthazar est né, je ne sais pas encore s'il sera un esthète en matière de nourriture, pour l'instant, il se contente de mon lait !

Un grand merci à toutes celles qui ont accompagné mes grossesses : le Dr Laurence Vaksmann, qui a le talent d'exercer un métier si sérieux d'une manière rigolote, le Dr Marie-Françoise Lubeth, qui a tellement bien pris soin de moi. Et mes sages-femmes préférées : Claire Commien, pour les belles séances d'haptonomie, Céline Desagre, pour le crapaud tibétain, Anne Parker, pour les vagues, la herse, le pont-levis, et tout ça avec le sourire ! Merci à tous ceux et toutes celles qui ont testé ces recettes. Et enfin, merci à Xavier... le papa, sans qui rien de cela n'existerait. Merci aussi à Raphaële et Anne-Laure pour leur patience et leurs conseils avisés, ainsi qu'à Isa pour les chouettes séances photo !

Conception graphique : Claire Guigal
Mise en pages et suivi éditorial : Anne-Laure Estèves
Photogravure : Frédéric Bar
Fabrication : Thomas Lemaître

ISBN : 978-2-84567-494-3
Dépôt légal : février 2009
Imprimé en Espagne